COLLECTION FOLIO

Clémence Boulouque

Mort d'un silence

Gallimard

Clémence Boulouque est née en 1977. *Mort d'un silence* est son premier récit pour lequel elle a reçu le prix Fénéon 2003.

Pour mes parents

Compte les amandes,
compte ce qui était amer et t'a tenu en éveil,
compte-moi au nombre de tout cela.

PAUL CELAN

New York, septembre 2001.

J'avais décidé de partir vivre loin de mes souvenirs d'enfance.

Je prenais des thés à la cannelle en feuilletant des magazines dans une librairie sur deux étages d'où j'apercevais Saint Paul's Chapel, une petite église entre deux gratte-ciel, et je regardais les cours de la Bourse défiler sur un écran électronique au-dessus du comptoir. J'ai conservé ma carte de fidélité de ce magasin Border's ; elle était presque remplie. Je trouvais le calme, au cœur de cette agitation, et rentrais étudier dans ma petite chambre, sur le campus de Columbia.

Le World Trade Center était séparé de l'université par quarante minutes de métro. Cortland Street - West 116th Street, ligne 1.

Un mardi matin, il n'y a plus eu de World Trade Center. Il n'y a plus que les bruits, les images de ces avions qui le percutent, de ces tours qui s'effondrent. Plus que des absents.

Le terrorisme, les absents.

Il était dix heures cinquante sur le pont qui enjambe, à Manhattan, Amsterdam Avenue — au niveau de la cent dix-septième rue qui, à cet endroit précis, n'existe pas.

Une amie est venue à ma rencontre. Elle était presque calme, mais essoufflée.

— Classes are cancelled, Clémence. Two planes… hijacked. Crashed into the World Trade Center. Collapsed. The Twin Towers are gone. They are gone, m'a-t-elle dit.

Les Twins sont parties, littéralement. Un avion détourné. Le soleil était blanc.

Il m'aurait fallu monter au quinzième étage de la tour de la School of International Affairs pour voir le cratère. Mais je n'ai pensé qu'à téléphoner.

— Les cellulaires ne fonctionnent pas, m'a dit Sara en me montrant l'écran de son téléphone.

Je lui ai soufflé un bref au revoir. J'ai couru vers l'appartement. Croisé quelques personnes à qui j'ai demandé des précisions sans attendre de réponse. Traversé la rue déserte.

La clé dans la porte. La radio de ma roommate.

— What the hell is going on, here ?

Ma voix s'étouffe. Sur mon répondeur clignote un message :

— Chérie, c'est maman, il est neuf heures moins cinq pour toi. Tu dois être partie à ton cours d'arabe. Rappelle-moi quand tu auras ce message. J'espère que tout va bien.

Les communications internationales interrompues. Je n'ai pu qu'envoyer un mail. Un mail qui a mis de longues minutes à passer.

Sujet : Je vais bien.

Message : Impossible d'appeler l'étranger. Je vous aime. Clémence.

Ma radio allumée. Deux avions dont on a perdu la trace. Le ciel qui gronde et le maire qui invite les New-Yorkais à rester chez eux. Les bruits, les cris, les ambulances. Pas de télévision, pas d'images, sinon celle de ma robe trempée. Le site internet du *New York Times*. Le Pentagone, frappé aussi. Et un avion tombé en Pennsylvanie. Une vague d'attentats au matin du 11 septembre 2001.

Aucun appel pendant deux heures. Pas de tonalité, rien. Deux heures, seule. Seule avec ma roommate, à qui j'ai raconté mon histoire. Seule avec mon histoire, qui ne me quitte pas.

Mon histoire. Le terrorisme. Cette violence, qui a abîmé mon enfance. Cette violence, sur le sol américain. Une violence inouïe, qui m'escorte peu après mon arrivée.

Le terrorisme, mon père, ma perte.

Je suis seule à New York. En souffrance. Si je ne m'écroule pas, si je ne m'écroule pas, si je ne m'écroule pas, alors…

Je le dominerai, ce passé ? Je ne sais pas. Dominer, non. Je suis fatiguée. Les forces me manquent.

To come to term, à la place ; arriver, apaisée, au terme de quelque chose. Peut-être en arriverai-je au terme, de mon enfance. Arriver aux termes. Parvenir à l'écrire. Enfin.

J'ai tant de fois essayé. Mes récits étaient elliptiques ou empesés de détails. Pour donner à comprendre. Donner à voir. Donner.

Ne pas garder mon deuil pour moi. Tuer le silence. Moi qui ne supporte ni le bruit ni la mort.

Je suis la fille du juge Boulouque, du terrorisme, des années quatre-vingt, des attentats parisiens. Et je suis orpheline de tout cela.

Personne ne se souvient de mon père et la vague d'attentats des années quatre-vingt à Paris se confond avec celles qui ont suivi — c'est après tout le destin des vagues de se retirer.

C'était aussi le sien.

Je suis la petite fille qui a connu les menaces de mort et les gardes du corps autour de sa dixième année — les campagnes de presse, les phrases assassines.

J'avais treize ans lorsque mon père a tiré, le 13 décembre 1990. Tiré sur lui, cette nuit-là. Et sur nos vies.

J'avais treize ans. Bientôt, à vingt-six ans, onze

mois et six jours, j'aurai passé plus de la moitié de ma vie sans lui.

Au début, j'ai compté les minutes qui me séparaient de sa mort, puis les heures, les jours. Parfois, je me surprends à calculer encore son absence en mois quand, déjà, les années sont si nombreuses à s'être glissées entre nous. Je change sans cesse l'unité de mesure de cette distance. J'arpente les dimensions de l'absence.

Cette nuit-là, il a cessé de vieillir. Dans quinze ans, quatre mois et dix jours, je serai son aînée, sa grande sœur. Puis sa mère. Je me rapproche de lui à mesure que je m'en éloigne.

I

C'est dans la grande chambre d'une maison au bord du Danube que j'ai pour la première fois entendu parler de terrorisme et des nouvelles fonctions de mon père.

Avant, il quittait parfois Paris pour des missions à l'étranger et s'occupait de trafic de stupéfiants ; j'aimais ce mot, « stupéfiant ». Mon père était magistrat, chargé de cours à l'université, me laissait regarder les copies bleues de ses étudiants, et le week-end, après avoir lu *L'Équipe*, il s'installait dans le salon pour noter sur des fiches, ses « fiches d'athlétisme », les nouveaux records et les performances en meeting des sprinters, perchistes et marathoniens. Dans la chambre de ses parents, sur une commode, une photo de lui, sur les starting-blocks. Il avait été un espoir du Racing Club de France, je crois ; champion cadet du département ou de la région, avant une blessure. L'athlétisme demeurait sa passion, qui l'entraînait sur des stades déserts ou lointains ; qui nous entraînait tous dans ces lieux étranges, sur des gradins venteux.

Avant ces vacances de 1986, certains mots ne voulaient rien dire : la quatorzième section du Parquet de Paris, le SCLAT — la Section de lutte antiterroriste —, rien.

En Autriche, près de Dürnstein où le plus jeune frère de mon père se marierait quelques semaines plus tard, j'ai appris sans m'en douter que notre vie allait doucement se refermer sur nous, sur lui. Nous étions invités par les futurs beaux-parents de mon oncle, dans une maison à quatre-vingts kilomètres à l'ouest de Vienne, de la maison de Mozart, de la cathédrale Saint-Étienne ; j'avais neuf ans, entrais en CM2, écoutais en cachette les disques de mon frère adolescent. Des trente-trois tours. Duran Duran, Jackie Quartz, Boy George et la poussière sur mon électrophone.

Mon grand-père, deux ans auparavant, nous avait quittés. Trois mois après le chien Sic — une année 1984 de tristesse.

Mais la vie était douce. Mes maux de ventre, de gorge, ma fragile santé n'étaient qu'un alibi pour rester à la maison les jours de semaine. Pour échapper à l'école de la rue du Mont-Cenis, aux escaliers qui y menaient et à cette contractuelle qui s'entêtait à me faire traverser en se trompant de prénom : « Alors Laurence, encore en retard. » Tout. Tout pour ne pas faire ces derniers mètres, qui montaient vers le bâtiment au fronton austère, « République française — École élémentaire de garçons ».

Lorsque j'étais condamnée aux journées de classe, je rentrais de l'école accompagnée de ma mère ; ensemble, nous passions par la boutique du marchand de journaux où j'achetais un paquet de vignettes Panini, espérais ne pas avoir trop de doubles pour finir mon album avant les autres, expédiais mes devoirs, faisais durer le goûter, allumais *Récré A2*, jouais avec mes Barbie, refusais de prendre mon bain mais ne l'évitais que rarement, enfilais mon pyjama sans m'être bien séchée, et attendais, avec mon frère et ma mère, le retour de mon père pour passer à table. Il y avait bien les disputes dans la cour de récréation, les garçons qui soulevaient mes jupes, les copines « que je ne causais plus » pendant quelques jours, un grand qui m'avait rackettée, de fortes angines, mais les souvenirs de cette première vie sont baignés de clarté.

J'attendais les mardis soir, les mercredis et les week-ends — les Pepito devant le film de vingt heures trente, la poterie, le piano, la danse, la section jeunesse de la bibliothèque de la rue Hermel, les livres sur lesquels était écrit « n'abîmez pas les livres, ils sont notre bien commun », puis encore le marchand de bonbons d'à côté, mes dix francs soupesés en caramels et en Boules Magiques, et cette boîte qui les enfermait, que mes parents avaient une fois vidée en douce.

Je me lançais des défis : réclamer d'inviter des amies à la maison, oser, à la boulangerie, demander « une baguette moulée pas trop cuite » sans bredouiller ni rougir, remettre les pièces dans mon porte-monnaie rose en plastique Hello Kitty sans les faire tomber, manger des tablettes de Crunch sans être malade, et regarder la télévision très tard, un soir de semaine.

Une petite fille espiègle, insouciante, plutôt mignonne ? Une fillette heureuse puis une adolescente giflée par le deuil — une telle métamorphose en quatre ans ?

J'avais un caractère parfois difficile, ne supportais pas d'être laissée seule avec mon frère lorsque nos parents sortaient, sanglotais lorsqu'ils mettaient leurs manteaux, avais refusé d'aller à la maternelle, et faisais de proche en proche des colères bruyantes, comme ce caprice pour un pull bleu et rose entrevu dans une boutique de Fabriano — mon père avait finalement cédé et je le porte sur les photos des vacances de Pâques au printemps suivant.

En dernière année de maternelle, j'avais eu la scarlatine, la convalescence s'était prolongée et j'avais voulu apprendre à lire, y étais parvenue et ne voulais plus aller à l'école, plus quitter la maison. J'étais toujours gaie lorsque mes parents m'entouraient, ivre de joie quand ils se mettaient à danser avec leurs amis sur un air des Blues Brothers le samedi soir ou lorsque mon père, incapable d'achever ses blagues, s'étouffait lui-même d'hilarité, quand il me racontait ses souvenirs d'enfance, ses méfaits de gamin en culottes courtes, ce temps où les photographies étaient en noir et blanc.

Les vacances en Italie, tous les étés, étaient accompagnées d'un joyeux cérémonial, un long coup de klaxon au franchissement de la frontière, précisément devant le panneau où figure un klaxon barré. Puis les chats du Forum romain, les glaces fondues sur mes robes, la marque des chaises longues et des *lettini* sur ma peau, l'odeur des acacias dans la nuit, les soirées à San Cassiano après d'immenses pizzas, les paquets de Mulino Bianco, les yaourts Parmalat, et le traditionnel pistou dont mon père coordonnait la préparation, déléguait entièrement la réalisation et proclamait seul la réussite.

Derrière tout cela, pourtant, il y avait déjà la mort. Celle de mon grand-père, qui avait contraint mon père aux promesses que les vivants croient devoir aux morts : le magistrat, que mon grand-père avait voulu qu'il devienne, serait un grand magistrat, pour honorer sa mémoire. À l'époque, je ne savais pas cela. J'avais simplement vu mon père devant une assiette qu'il ne regardait pas, et entendu ma grand-mère : « Il faut manger, Gilles. » Six ans après, la même phrase, par la même personne, pour les mêmes raisons, me serait adressée.

Je ne savais pas non plus qu'un de ses amis d'enfance n'était pas mort dans cet accident de la route, ce choc frontal qui me faisait redouter de monter en voiture. Il n'y avait pas eu de carambolage, ni de collision : il avait choisi une arme à feu dans sa maison de campagne et laissait deux enfants de cinq et huit ans. Pour elles, à cause d'elles, leur entourage avait inventé l'accident. Je n'avais pas à savoir ce qu'elles ignoraient ; je n'ai appris qu'à dix-sept ans, quelques heures après elles, que nos pères s'étaient depuis longtemps rejoints dans le même geste.

J'ai ajusté mes souvenirs, en apprenant ces secrets, ai retrouvé des indices a posteriori. Mes parents voulaient et pouvaient alors protéger mon enfance. À mesure, cela n'a plus été possible.

La douleur à venir m'a été annoncée en Autriche. Je sais aujourd'hui que ma mère avait demandé à mon père de ne pas accepter de rejoindre la chambre antiterroriste, qu'elle avait entrevu le quotidien âpre et la menace du drame, et qu'il ne l'avait pas écoutée. C'est ma mère, pourtant, qui nous a fait part de ses nouvelles fonctions, peu avant le déjeuner, au beau milieu des vacances — des propos rassurants et rapides. Je crois que mon père, à table, était crispé, qu'il a répondu à nos questions et s'est peu à peu détendu. À moins que je n'invente une suite à ce morceau de souvenir, bordé de trous noirs.

Cet été-là, mon père m'a expliqué un soir ce qu'avait été la Shoah, et m'a parlé de mon grand-père, miraculeusement sauvé par son nom de famille turc. Ces souvenirs ne se confondent pas mais ils résonnent en moi comme deux cris sourds qui ont changé ma vie.

Nous avons fait les valises à la fin du mois d'août, nous sommes arrêtés à Salzbourg puis aux championnats d'Europe d'athlétisme, à Stuttgart. Il me reste un autocollant de la manifestation, qui porte la date du 25 août 1986, et le souvenir d'une énorme barbe-à-papa mangée en regardant un 110 mètres haies. Sur les autoroutes allemandes, des voitures surpuissantes doublaient notre Volvo lourde des bagages de vacances, de mes poupées et de ma caisse de gaufrettes au chocolat Wachauer Schnitt, l'un de mes bonheurs d'Autriche. Avec la fascination d'entendre mon père dire, au cours des conversations avec la belle-famille de son frère, ces syllabes étranges :

« *Ich erinnere mich.* » Je ferais de l'allemand en sixième.

Mes *J'aime lire* et la pile du *Monde* et de *L'Équipe* du mois d'août nous attendaient à la maison ; mes grands-parents maternels y étaient passés et avaient, comme à chacun de nos retours, laissé dans le réfrigérateur une salade de riz au thon et du rôti de veau.

Au début du mois de septembre éclataient des bombes à la poste de l'Hôtel-de-Ville, au magasin Casino de la Défense, au Pub Renault, à la préfecture de police de Paris et devant le magasin Tati, rue de Rennes. Onze morts, cent quatre-vingt-quinze blessés en dix jours. Un jeune juge parisien était saisi des dossiers. Celui dont je porte le nom et le deuil.

Fin septembre, nous sommes repartis en Autriche pour la célébration du mariage de mon oncle. Je prenais l'avion pour la première fois et, dans l'aéroport, une valise abandonnée a été déminée sous mes yeux. Les démineurs — leur nom ridicule, un nom de Far-West. Je mélangeais avec allégresse les cow-boys, Lucky Luke, les Tuniques Bleues et les mineurs de Lorraine. Leur autre nom, artificiers, me rappelait les feux de la Saint-Jean à Montmartre.

Les attentats m'effrayaient finalement bien moins que le décollage de l'avion. Lorsqu'il s'est élancé, j'ai saisi la main de mon père ; elle était moite, comme la mienne, comme d'habitude.

II

Des derniers mois de 1986 me reviennent les images du parquet de ma classe de CM2, de ma petite table à l'avant-dernier rang, derrière celle de mon ami Luigi, et de mon premier 45 tours de variété, acheté rapidement au Prisunic de la rue Ordener. Il y avait du brouillard. Le temps était épais. Il ne fallait pas traîner dans les magasins ; tout lieu public était une cible, et un danger. Chacun rentrait chez soi sans même s'arrêter dans les boutiques de quartier. La menace était oppressante ; rien n'avait sauté depuis la mi-septembre. Le calme suspect. Qui laisse présager l'imminence de nouveaux attentats.

Un mardi à la sortie de l'école, deux de mes amies ont parlé d'explosifs en faisant de grands gestes : « Ça peut être dans un stylo, dans n'importe quoi, ça peut être dans tout. » Je n'ai rien dit. J'ai avalé très vite le pain au chocolat que ma grand-mère était allée chercher pour chacune d'entre nous et les ai laissées partir devant.

À cet instant, je me suis sentie différente. Plus tard, la peur permanente m'a empêchée de ressembler à ceux dont les pères avaient une profession ordinaire. Mais ce jour-là, c'est le sentiment de savoir, qui m'a éloignée des deux petites blondes qui parlaient sans rien connaître : mon père m'avait expliqué, en me lisant un album de Lucky Luke intitulé *Nitroglycérine*, les multitudes d'explosifs et leurs propriétés.

Malgré cela, la vie n'était encore qu'une bande dessinée. Malgré des clichés, qui me choquaient parfois. Cette petite fille ensanglantée en couverture de *Paris-Match* que j'avais vue sur des panneaux — « Son regard accuse », disait la légende. Malgré des sons déchirés qui résonnaient en moi — ces sirènes d'ambulance dans les reportages sur le vif après l'explosion de la poubelle, rue de Rennes.

Malgré de brèves frayeurs — un matin, un paquet suspect, un sac-poubelle plié en quatre et boursouflé, posé presque devant l'école, les rumeurs inquiétantes des passants, les craintes de la directrice et l'arrivée imminente des démineurs. Ma mère m'a pris la main pour me faire faire demi-tour sans dire un mot. Quelques mètres plus tard, elle a ordonné dans un souffle :

— On rentre, Clémence, il faut prévenir ton père. Tu iras à l'école après la récréation de dix heures.

Je n'ai pas essayé de la faire passer par la boutique du marchand de journaux, son pas était trop rapide pour qu'elle consente à un détour. Nous sommes rentrées alors que mon père s'apprêtait à partir, j'ai regagné ma chambre pour me remettre en pyjama en espérant rater toute la matinée. Peut-être ai-je eu peur. J'avais envie de me protéger dans mes draps et en ai été rapidement arrachée. Une fausse alerte, un plaisantin qui avait soigneusement enveloppé ses épluchures de légumes dans un sac bien scellé. Je me suis rhabillée, j'ai maugréé et je suis repartie à l'école à l'heure de la récréation. Il faisait froid. J'ai joué à chat avec Thomas, Luigi, Marion et Karine pour me réchauffer. Ma mère nous regardait du préau où elle parlait avec la directrice et mon institutrice. Je voulais leur montrer que j'étais enjouée.

Puis les choses ont changé. Une brûlure. La même brûlure, à chaque fois. Chaque fois que je crois revivre la scène, celle où j'ai appris que mon père serait désormais protégé. L'appartement était sombre. C'était une fin de journée. On avait sonné à la porte et j'étais allée embrasser mon père, que la chienne Prisca accueillait toujours mieux que moi. Il était rentré insensiblement plus tôt et n'était pas seul. Près de la bibliothèque de l'entrée, un homme au blouson de cuir sombre avait l'air taciturne ou gêné.

— Puce, il faut que je t'explique quelque chose.

Mon père nous a fait passer au salon attenant. Ils ont continué jusqu'au canapé tandis que je m'asseyais sur le bras de l'un des fauteuils rouges au tissu rugueux. Je me suis lourdement laissée tomber dedans et personne ne me l'a reproché — la situation devait donc être préoccupante. Mon père a incliné la tête et a regardé l'homme droit dans les yeux, comme pour l'inviter à parler.

— Je m'appelle monsieur Canesson mais mes collègues m'appellent Canasson, comme un cheval.

Avant de continuer, il a pris une inspiration.

— À partir de maintenant, je vais être avec des collègues auprès de ton père. Pour le protéger, tu comprends. Mais ne t'inquiète pas, il ne risque rien. Il n'y a pas de risque, il n'y a aucun risque pour ton papa. C'est juste que c'est mieux. C'est mieux. Comme cela, tu peux être…

Je me suis mise à pleurer. J'ai encore la sensation d'une main passée dans mes cheveux et de l'étoffe de la chemise de mon père sur ma joue. Rien ne pouvait arrêter mes épaules et ma poitrine qui s'effondraient sous les sanglots. J'avais honte de pleurer devant M. Canesson, je pleurais sans être précisément triste de ce qui m'était annoncé. J'avais le sentiment d'être emportée par autre chose.

Dans cette même pièce sombre, quatre ans plus tard, nous serions rassemblés frissonnants de fatigue et épuisés par les larmes, dans la douleur de sa mort.

L'hiver 1986 — la chanteuse Elsa venait de prendre la première place du Top 50, mon frère militait contre le projet de loi sur les universités privées du ministre Devaquet. C'est à partir de cette période que j'ai commencé à prendre des repères dans l'actualité pour arrimer dans ma mémoire les événements de ma vie. Auparavant, nous étions notre propre mesure : mon grand-père était mort douze jours avant mes sept ans, j'avais sauté le CP après des mois de scarlatine, mon frère s'était cassé le bras en cinquième et en quatrième. Mes souvenirs d'enfance sont, depuis, noués avec des dates, celles des affaires de terrorisme.

En décembre, nous sommes partis sur la Côte d'Azur. Ma grand-tante nous prêtait toujours un studio pour les vacances de Noël. Un souvenir inutile vient me murmurer que les cheminots étaient en grève. Sans doute ce détail prend-il la place d'autres souvenirs, que j'aurais préféré conserver en moi et que ma mémoire peine à faire resurgir. Aujourd'hui, je recherche des moments insignifiants dont la succession forme une vie : l'odeur forte de l'essence lorsqu'un arrêt à la station-service me réveillait au cours des longs trajets en voiture, les chewing-gums Stimorol au menthol et le chocolat au nougat grignoté pendant les soirées de tarot que mon père terminait sur des scores catastrophiques pour s'être amusé à garder contre le chien, et sans jeu. Au lieu de cela, ce sont les éclats d'actualités ou des instants de douleur intense qui fixent et rongent mon enfance.

Certains souvenirs brûlent. L'un d'entre eux, parmi d'autres, plus que d'autres. Parce que je sais aujourd'hui que j'ai eu dans les mains le dernier objet que mon père a tenu entre les siennes.

C'était une fin d'après-midi, un soleil fatigué d'hiver. Nous étions probablement allés au cap d'Antibes, vers la plage de la Garoupe. Nous empruntions un chemin un peu à l'écart qui débouchait, au pied d'une propriété privée, sur des rochers jetés dans la mer. Nous regardions l'horizon en faisant de vagues rêves et en mangeant les pans-bagnats faits par mon père. Les vacances étaient cette somme de petites choses improbables, des pans-bagnats faits par mon père.

Avant de rentrer, nous avions parcouru la vieille ville d'Antibes. La voiture garée près des remparts, puis le retour. Marcher sur la plage pour profiter des dernières lueurs de la journée. Mon frère était remonté au studio pour arracher quelques minutes d'une solitude impossible à trouver dans nos quelques mètres carrés. Peut-être du balcon de ce deuxième étage a-t-il vu des silhouettes qui se croisent, se rapprochent et s'éloignent, dans le murmure discret de la mer et le vrombissement des voitures. Nous étions trois de ces silhouettes et mes yeux se sont baissés sur ce que m'a montré mon père.

— Voilà.

Le souvenir de cette masse métallique, sombre, au cœur de sa main. Le sable de la plage un peu collé et plus foncé, près des douches. Des baigneurs de décembre s'y précipitent, criant et riant, en sortant de l'eau.

— Tiens.

Je crois que j'ai entendu les vagues mourir sur le rivage, partir et revenir. Je sens une rougeur picoter mon visage. Il me met l'arme dans la main, terriblement petite, et tellement lourde. Cette « arme de service » dont on l'a doté depuis quelques semaines, qu'il transporte dans sa pochette en cuir marron où se trouvent aussi ses papiers et son portefeuille, et qu'il place tous les soirs en haut de l'armoire, dans la chambre des parents, lorsqu'il rentre à la maison. Cette arme que je voulais voir et qu'il consent à me montrer.

— Gilles !

Ma mère, la bouche tordue et les lèvres pincées ; quelque chose, dans son corps, tressaute. Elle bondit vers nous.

— Pas à une enfant, non, pas à une enfant !

Mon père, les yeux étonnés, déterminé.

— Mais justement, comme cela, elle sait que je ne risque rien.

Le revolver disparaît dans sa pochette. Ma mère se détourne.

Il me prend par l'épaule, me regarde pour nouer un pacte muet, ouvre ma main et y met quelque chose.

— Tiens, garde cela. La balle dont je n'aurai pas besoin.

Une sorte de bout de ferraille, de couleur rosée. Elle a servi de vase dans mon studio Barbie, pendant quelques jours, et a disparu.

Cet hiver-là, nous avons été pris dans les embouteillages et les neiges tombées sur le massif du Morvan. Nous avons mis quinze heures pour revenir de Golfe-Juan. L'une des dernières fois où les gardes du corps ne nous accompagnaient pas sur le chemin des vacances.

Quelques semaines plus tard, j'ai écrit ma première nouvelle. Il avait neigé toute la nuit et Paris s'était réveillé dans une vingtaine de centimètres de flocons. Les trajets étaient ralentis et maladroits, la neige amassée dans les semelles des chaussures coulait sur le parquet des salles de classe de l'école. « La Classe en chaussettes », cinq pages où se fomentait une petite révolution enfantine pour que, une fois la neige disparue, les enfants aient désormais le droit de venir en classe chaussés comme ils le voulaient. J'ai interrompu mon récit rédigé sur des feuilles roses grands carreaux, grand format avant que l'insurrection ne devienne immaîtrisable. Puis j'ai réclamé un cahier Clairefontaine épais et broché, un cahier de 192 pages à la couverture cartonnée et glacée, aux carreaux violets. J'y ai consigné une histoire de tapis volant qui se rebellait, refusait de décoller lorsqu'on lui murmurait la formule magique usuelle, plongeait les héros dans le désarroi et les mettait à la merci de leurs poursuivants. Ils leur échappaient de justesse en découvrant qu'il fallait murmurer au tapis le mot à l'envers pour qu'il les arrache de terre.

C'était une fin d'hiver plutôt douce, une classe où je me sentais bien, entre mes deux voisins Luigi et Thomas ; je corrigeais, le cœur battant, leurs fautes en dictée lorsque la maîtresse avait le dos tourné. Les progrès de Thomas avaient étonné sa mère, qui avait confié à la mienne son agréable surprise. Il a été envoyé en pension, quelques années après, d'où il m'a écrit à la mort de mon père. Je ne sais pas ce qu'il est devenu ni ce que fait aujourd'hui mon ami au nom italien et au cœur immense. Luigi cassait des crayons de couleur en deux pour impressionner Karine dont il était amoureux, achetait le magazine *Top 50* pour me donner des articles sur Elsa et vivait dans une chambre d'hôtel de la butte Montmartre avec sa mère, portraitiste pour les touristes de la place du Tertre. Le jour de mon anniversaire, en juin, quelques jours avant les grandes vacances, avant que nous ne soyons séparés dans des collèges éloignés, je l'ai invité avec mes quelques autres amis. Je n'oublierai jamais ce jour de juin. Luigi avait reçu vingt francs pour me faire un cadeau. Luigi avait acheté des gâteaux Leader Price chez ED l'épicier, des paquets nombreux et bon marché pour en arriver les bras chargés, et avait dépensé jusqu'à ses derniers centimes en crocodiles Haribo, vendus à la pièce chez le boulanger. Après la fête, ma mère m'a demandé de me souvenir de ses cadeaux. De tous les présents de mes dix ans, me restent aujourd'hui un radio-réveil blanc qui a tout vécu à mes côtés, le souvenir de mon premier parfum offert par mon père, et celui des gâteaux de Luigi.

Les enquêtes avançaient dans l'ombre. Le filet s'était resserré sur certains des terroristes qui avaient ensanglanté l'automne et les membres du réseau Fouad Ali Saleh allaient être bientôt arrêtés, le 21 mars, le jour de ma fête. Mon père était souvent absent. Je ne l'attendais plus pour dîner.

Des vacances dans le Val-de-Loire — rythmées par les avancées de l'enquête. Mon père s'arrêtait dans toutes les cabines téléphoniques sur la route. Il appelait toutes les deux heures lorsque nous partions visiter les châteaux, portait à la ceinture un boîtier Eurosignal, qui clignotait lorsqu'il lui fallait immédiatement rappeler Paris, qui aurait dû sonner et qui était défectueux. Ces cabines perdues dans la campagne, qu'il cherchait avec angoisse sur la route et devant lesquelles il garait la voiture. Le soir, nous retrouvions le moulin que nous avions choisi pour la semaine dans le catalogue des Gîtes ruraux, et mon père allait au village passer ses coups de fil ; l'enquête avançait depuis Ouzouer-sous-Bellegarde. J'étais au bord de la mare ou sur les balançoires, nous allions chercher des religieuses au chocolat. Mon frère révisait les épreuves de français du baccalauréat. Les annales des épreuves, ces livres blanc et vert, mystérieux *Anabac sujets seuls*. Mon grand frère.

J'avais une veste en jean avec un col de velours bleu pâle, un sweat-shirt blanc avec des motifs de petites brouettes et des bandeaux bleu et rose dans les cheveux. De si jolies photos.

Tout était déjà anormal ou allait le devenir à jamais, pourtant flottait encore une sorte d'incrédulité. Et ces fous rires, pour nous soulager, tout au long de ces années. Un doute, pourtant, me vient. Cette légèreté presque excessive était peut-être un trompe-l'œil gribouillé par mes parents. Ces vacances et ces derniers mois d'école primaire sont les derniers moments au cours desquels il était possible de me protéger, de protéger peut-être mon frère aussi — je ne sais pas ce qu'il saisissait de cette vie, et n'ai jamais osé lui en parler.

Les rumeurs des médias et la peur étaient encore lointaines. Mon père avait donné une interview dans *Le Journal du Dimanche*, une autre à la télévision — il parle, de dos, dans une voiture conduite sur les périphériques à la tombée de la nuit ; certains des terroristes étaient tombés dans une souricière alors qu'ils étaient en train de charger une voiture d'explosifs pour des carnages en projet.

Au cours des interrogatoires, un des complices avait évoqué d'autres charges enfouies dans une forêt proche de Paris et mon père, des inspecteurs et des commissaires de la DST en avaient quadrillé le sous-sol et extrait des poubelles pleines d'explosifs. Les évocations de ses journées dans les bois, la quête des containers et des sacs bleus remplissaient nos conversations de moqueries, lorsqu'il rentrait le soir, et je hurlais de joie en appelant mon père Juge Poubelle. Puis, faire du mot « juge » un quolibet ne m'a plus amusée.

Un jour, avant les grandes vacances de l'été 1987, dans la cour d'école. J'étais en train de jouer à la déli-délo. Je venais de délivrer cinq copains, je n'étais pas essoufflée ; pour une fois, la spasmophilie ne m'avait pas coupé les jambes.

— Sale fille de juge.

Je me suis figée. Le ciel était haut. Je me suis retournée. La fille a répété :

— Sale fille de juge.

J'étais devenue une fille de juge. J'avais presque dix ans. C'était le début de l'affaire Gordji.

III

Wahid Gordji. Une figure au teint aussi mat que celui de mon père, les cheveux raides, noirs, coiffés d'une mèche sur la droite ; un interprète à l'ambassade d'Iran, le propriétaire d'une BMW amenée d'Allemagne l'année d'avant et repeinte. Une BMW, comme cette voiture utilisée par les auteurs de l'attentat de la rue de Rennes au mois de septembre précédent.

Le juge Boulouque voulait l'interroger en qualité de témoin dans ce dossier. Wahid Gordji s'est retranché dans l'ambassade, ensuite encerclée par la police pour empêcher une éventuelle fuite. Le traducteur demeurait cloîtré dans l'enceinte diplomatique et inviolable de l'avenue d'Iéna, refusait chaque jour de répondre aux convocations lancées par le magistrat. Ce comportement était pour les observateurs un aveu de culpabilité, et le terrorisme des derniers mois avait soudain un visage aux yeux de la presse et de l'opinion ; mais l'Iran de Khomeyni restait sourd aux demandes du juge. Les relations diplomatiques avec Téhéran ont été rompues au cœur du mois de juillet.

Chaque jour, nous attendions la sortie de Gordji, qui nous permettrait de partir en Italie ; chaque jour, elle était différée. Mon frère et moi étions tenus à distance, à une trentaine de kilomètres de Paris, chez mes grands-parents maternels. Les journaux télévisés racontaient midi et soir l'impasse diplomatique et judiciaire et nous y entendions, nous, que notre été se passerait à attendre d'improbables vacances. J'appelais ma mère plusieurs fois par jour, parlais à mon père le soir, attendais leur visite le week-end.

Les fournitures pour la rentrée scolaire avaient été installées dans les supermarchés à la mi-juillet et je demandais chaque matin à aller repérer les cahiers de textes et les stylos plume, les encres bleu-des-mers-du-sud et violettes. Je me faisais gâter d'une multitude de petits jouets et engloutissais tous les biscuits qui m'étaient refusés à la maison pour préserver mon foie fragile — des Z'animaux, des Petits Écoliers et des Fingers par paquets entiers. J'ai retrouvé de ces exploits gastronomiques quelques lignes dans un cahier de vacances.

La Paquinière, le 17 juillet

Cette nuit, j'ai été malade parce que j'avais trop mangé de Mars Glacés, M & M's, crêpes au sucre (huit)... Ce soir, je vais faire attention. Et d'ailleurs, Mamie m'a acheté des petits-fours.

Suivent deux pages d'un essai d'un inénarrable sérieux que j'avais écrit sur « le rapport des enfants aux jouets », inspiré sans doute par une fiche de « conseils achats » que j'avais collée juste à côté — ce type de feuillet volant, « conseil au consommateur », que distribuent parfois les hypermarchés dans un élan de bonne conscience mercantile.

Je n'ai rien noté sur mes journées d'attente. Je me souviens des téléfilms historiques en deux parties diffusés juste après le repas, sur Antenne 2 — l'un d'entre eux retraçait la vie de Golda Meir. Une voisine de mon âge qui venait jouer avec mes Petits Poneys m'avait effrayée en me disant que ses parents, un jour, avaient trouvé un cadavre dans leur jardin ; ma grand-mère avait haussé les épaules lorsque je lui avais fait part de l'horrible nouvelle et cela ne m'avait pas rassurée, car j'étais persuadée que les histoires effrayantes ne peuvent s'inventer. Le Concorde passait tous les soirs vers neuf heures et mon grand-père sortait dans le jardin, lorsque le ciel vibrait, pour me montrer l'avion.

Il n'y aurait pas de vacances, donc, pas ensemble. Mon frère est parti chez l'un de ses amis. Je suis restée avec mes grands-parents, chaque jour plus morose et capricieuse.

J'ai réussi à rentrer avec mes parents à Paris, un dimanche, au prix d'une crise de larmes et de convulsions ; mes précédentes tentatives pour retourner près d'eux avaient été vaines. Je n'y suis restée que deux jours, le temps d'acheter un bureau en kit pour mon entrée en sixième et de le monter. Lorsque je repense à cette atmosphère, j'ai la sensation de toucher du papier de verre.

Cet été-là, mon père a renoncé à ses copieux petits déjeuners qui mettaient tout le monde en retard. Pour assurer sa sécurité, il y avait désormais deux voitures. La première, blindée, était celle dans laquelle il montait avec deux gardes du corps et le chauffeur ; la seconde était une suiveuse, dont la mission était d'emboutir tout véhicule qui percuterait celui du juge. Ainsi, il était impossible aux éventuels terroristes de profiter d'un accident pour faire sortir les passagers de la voiture et abattre mon père à bout portant. Et le convoi, toutes sirènes hurlantes et parfois à contresens, allait tellement vite que mon père avait dû sacrifier ses tartines, qui lui donnaient des nausées longtemps après être descendu de voiture.

Un soir, mon père m'a appelée pour m'annoncer que nous allions finalement quitter Paris pour quelques jours, mais qu'il fallait rester en France. Deux jours avant ce départ, sa voiture a été percutée à un carrefour. Le véhicule fautif a été soigneusement plié par la suiveuse. La crosse du revolver d'un policier, assis à côté de lui, a fêlé deux des côtes de mon père. Il a conservé, tout au long des vacances, la main sur l'abdomen, incapable de marcher rapidement et sans doute un peu douillet. Je le mimais avec une délectation sadique, dans ses lents et grimaçants trajets vers la maison de la presse du village breton où un ami nous avait invités. Un hebdomadaire avait relaté l'accident avec un lyrisme dégoulinant, dans un entrefilet que j'avais appris par cœur pour le déclamer et exaspérer mon père : « Un homme se redresse, plié de douleur, c'est le juge Boulouque... » Je ne risquais rien : pour m'attraper, il lui aurait fallu courir.

C'est à ce moment qu'est paru un article dont le titre m'est resté en mémoire : « Le juge Boulouque, l'anti-shérif » ; je crois m'en être souvenue parce que je n'en comprenais pas le sens. Je ne l'ai jamais relu mais il me hante. Je le revois posé sur la table du petit déjeuner, près du bocal de Benco, que j'avais enfin réussi à glisser dans le chariot au supermarché.

Les gendarmes, une fois encore, nous avaient accueillis et ont fait de régulières apparitions au cours du séjour, mais nous n'étions pas protégés, ou peut-être de loin, ou peut-être l'ai-je cru.

Je ne sais plus au juste combien de temps nous sommes restés dans ce village, sans doute moins d'une quinzaine de jours — de marchés, de visites, de livres et de plage. La mer était glacée, le temps ne se découvrait pas toujours, les radios diffusaient *Joe le Taxi*. J'ai terminé deuxième d'un concours de déguisement sur la plage où j'avais été, comme d'habitude, maquillée et habillée en japonaise à cause de mes pommettes saillantes et de mes yeux en amande. J'ai aussi appris à nager en piscine et à plonger au Club Mickey ; sur mon diplôme du 200 mètres « Mickey nageur », je suis Clémence Jacquemin. C'était sous cette identité que mes leçons de natation avaient été retenues. Longtemps, j'ai utilisé ce nom, venu de la famille de ma mère, pour participer à des concours ou renvoyer des offres promotionnelles, sur les jouets ou les paquets de gâteaux. J'ai accumulé sous ce nom des pin's, des bracelets souvent hideux et des étuis isothermes dont je ne me suis jamais servie. Jacquemin, Clémence. J'ai été totalement rendue à mon patronyme une fois que celui dont je le tiens n'a plus été parmi nous.

Paris. Gordji. Début septembre, mon père a pu s'échapper quatre jours et nous avons rejoint des amis qui louaient une villa avec piscine dans l'arrière-pays niçois. Des poiriers sous l'eau, et des concours de plongeons ridicules, avec ces amis qui me faisaient toujours rire — quelques jours pour racheter un été. J'ai coulé mon père dans la piscine autant que je l'ai pu, hurlais des idioties lorsque retentissaient les sonneries du téléphone ; des appels du palais de justice, toujours.

Cette fin d'été, le sprinter Ben Johnson a battu le record du monde du 100 mètres ; nous ne savions pas encore qu'il était dopé lorsque nous regardions les championnats de Rome, dans une petite pièce fraîche, aux volets clos. Le quotidien *Le Sport* devait sortir quelques jours plus tard pour concurrencer *L'Équipe* ; j'ai promis à mon père de m'acheter une conduite — il aimait tellement cette expression — pour mon entrée au collège. Dans mes bonnes résolutions, je lui ai aussi proposé d'aller lui acheter les deux quotidiens le jour de leur parution, le 12 septembre. Je ne sais pas pourquoi *Le Sport* a marqué ma mémoire ; sa parution a été éphémère.

Nous avons pris la route une fin d'après-midi, avec une journée d'avance ; mon père devait être au tribunal le lendemain ; vers vingt-trois heures, à deux cents kilomètres de la maison, un pneu a éclaté tandis que nous doublions un camion ; mon père a perdu le contrôle de la voiture, qui balayait la route de droite à gauche, risquant à tout instant d'être percutée par les véhicules qui filaient dans la nuit. J'ai pensé à mon frère et à ma chienne, au fait que je ne rentrerais jamais en sixième, me suis retournée pour voir les phares de la voiture qui ne pourrait pas nous éviter et allait probablement nous tuer. Je n'ai vu qu'un énorme camion qui suivait nos zigzags ; ma mère avait mis les feux de détresse, mon père répétait à voix basse : « Je n'ai plus de freins. » Il a réussi à lentement décélérer et à immobiliser la voiture sur la bande d'arrêt d'urgence, toujours protégé par ce poids lourd immatriculé en Italie qui s'est arrêté en même temps que nous. Le routier a aidé mon père à remplacer la roue, du côté de la circulation. Les voitures passaient si vite qu'elles faisaient le bruit d'un souffle, et je regardais mon père et l'homme accroupis, le cric à la main. Cet Italien de Calabre est retourné dans son camion pour en rapporter une énorme grappe de raisin ; « *l'uva per la bambina* », a-t-il dit en me la donnant. Il est reparti comme s'en vont les anges gardiens, de façon feutrée, en ne laissant d'eux rien d'autre que des vies sauves et le souvenir de l'abîme.

Les kilomètres ont défilé lentement jusqu'à Paris, sur la voie de droite ; le silence progressivement dénoué par le soulagement.

— J'ai dit que je n'avais plus de freins parce que je me répétais qu'il fallait ralentir la voiture mais ne surtout pas freiner, sinon, on partait en tonneaux, a expliqué mon père.

Il s'est tu un instant, avant d'ajouter, d'un rire un peu nerveux :

— Tu imagines, s'il nous était arrivé quelque chose, on aurait difficilement cru à un accident.

Les premiers jours de ma sixième ont eu l'odeur des papeteries : des listes de fournitures, des hésitations sur la couleur des cahiers et des stylos. Puis le bruit de la craie et les premières fiches à remplir, en indiquant nom, prénom, adresse, téléphone, profession des parents. Puis l'appel, mon nom en début d'alphabet :

— Boulouque, Clémence.

Parfois :

— Son papa est un célèbre magistrat.

Et mon regard baissé.

Ma mère venait me chercher à la sortie du collège, m'attendait dans la librairie au bout de la rue, comme certains parents, lors des premiers mois qui ont suivi notre entrée au collège. Au fur et à mesure, mes camarades de classe sont rentrés seuls. Pas moi. Ma mère avait refusé la sécurité que l'on avait proposée pour moi ; elle avait insisté pour m'accompagner, à la place, comme pour mimer la normalité. Je n'en savais rien.

Lorsqu'un professeur était absent, lors de la dernière heure de la journée, les autres élèves quittaient l'établissement. Ils avaient, apposé sur leur carnet de correspondance, ce tampon « APS », l'abréviation d'« autorisation parentale de sortie », qui leur permettait de rentrer chez eux. Je les regardais franchir les portes et me dirigeais vers la salle de permanence, où je ruminais de ne pouvoir sortir. J'ai contrefait des signatures, effacé des dates sur des mots antérieurs, pour échouer, pendant une heure, chez la libraire, devenue une amie. Sa boutique sombre sentait l'encre et la colle en bâton. J'y ai entamé des bandes dessinées que je n'ai jamais finies, y ai lu le début d'*Autant en emporte le vent* et de *L'Iliade*, recroquevillée derrière la caisse, y ai acheté tous les ouvrages de « lecture suivie » qui nous étaient imposés. Je sortais de temps à autre guetter l'arrivée de ma mère.

Lorsque je me faisais punir et étais libérée en retard, parce qu'il me fallait nettoyer la classe ou recopier le règlement intérieur de mon carnet de correspondance, j'essayais de la faire prévenir. À plusieurs reprises, j'y ai échoué. Ces minutes, où mes veines se comprimaient et mes mouvements étaient imprécis et précipités. Je la savais attendre, voir les grappes d'élèves se défaire et l'entrée du collège se clairsemer, se retenir de pénétrer dans la cour pour demander si quelqu'un m'avait vue, se forcer à attendre quelques instants supplémentaires avant de ne plus pouvoir supporter les conjectures épouvantables qu'elle devait échafauder. Lorsque je m'échappais et la retrouvais, son visage ne pouvait se taire. Elle me prenait par l'épaule et y laissait sa main un long instant.

— Essaie de ne pas chahuter pendant la dernière heure, puce.

J'ai essayé. J'ai été élue déléguée en sixième, au premier tour. Je me suis assagie et ne me suis plus jamais représentée, je n'aurais même pas recueilli ma voix.

Ma vie se passait dans des salles de classe défraîchies, sur d'horribles tables carrelées où avaient lieu les cours de physique, dans les couloirs où nous attendions les professeurs dans le brouhaha et la fatigue. Puis elle s'est jouée ailleurs. Dans une atmosphère d'obscurité et de langueur, à partir d'un dimanche de novembre de cette année 1987.

Des amis étaient venus déjeuner à la maison, et étaient restés dîner. Il y avait du pot-au-feu. Un coup de fil. Gordji acceptait de comparaître.

Les gardes du corps ont été appelés, nous avons ri comme des hystériques, râlé contre ce type qui nous privait de vacances et de week-ends, tout cela pour ne pas avoir su repeindre sa voiture tout seul. J'ai hurlé « Gordgilles au boulot », nous sommes restés seuls et abattus lorsque la porte a claqué. La radio et la télévision. Mon père est rentré tard ; je n'avais pas voulu aller me coucher et ma mère n'avait pas insisté.

Nous savions depuis le début de la soirée que le diplomate iranien était sorti libre du bureau du juge. Les journalistes avaient ajouté qu'il était loisible de s'interroger sur la corrélation entre ce rapide interrogatoire et le sort des otages français encore retenus au Liban par des mouvements islamistes pro-iraniens. Si Gordji était une monnaie d'échange, le juge devenait un pantin.

Le présentateur du journal d'Antenne 2, qui égrenait les noms et les nombres de jours de détention des journalistes retenus à Beyrouth par le Hezbollah. « Marcel Carton, Marcel Fontaine, Jean-Paul Kauffmann, Jean-Louis Normandin ne sont toujours pas revenus du Liban. » Cette phrase, toujours la même, soir après soir, ces photos, ces noms ; et, quelques mois avant, l'exécution de Michel Seurat, l'un d'entre eux.

C'est peut-être ce dimanche soir que la douleur a déferlé. Les jours ont défilé. Le visage de mon père avait ce teint translucide de pâleur. Ses yeux erraient, ne se posaient sur rien, sauf sur la télévision, autour de vingt heures — l'affaire Gordji s'y est effilochée jour après jour dans des reportages de plus en plus brefs. Des gros titres, et la caricature d'un quotidien national. On y voyait Gordji et un juge replet, en robe noire, qui demandait : « Hublot ou couloir, fumeur ou non fumeur, Beyrouth ou Téhéran ? » On y voyait mon père comme une marionnette.

Quelques « fille de juge » m'ont accueillie, les jours suivants ; parfois accompagnés de « fille de pute ». J'ai réclamé un précepteur à mes parents et suis tombée malade. Ils tenaient ensemble de longs conciliabules dans le salon et se taisaient, lorsqu'ils m'entendaient arriver. Dans ce silence abrupt résonnait un tel malaise que je regagnais immédiatement ma chambre. Mon père était comme ces athlètes dont il suivait assidûment les performances, ces coureurs qui, au milieu de leur course, sont victimes d'un claquage, et s'affaissent sur la piste ; ils ont un masque de douleur, lorsqu'ils quittent le stade à cloche-pied, soutenus par un soigneur. À partir de ce mois de novembre, mon père a porté ces traits qui lui rayaient le visage.

Je ne souhaite pas ouvrir de débat sur ce que l'histoire ne jugera pas.

Je pourrais me pencher sur les dossiers, chercher à réhabiliter l'honneur du juge. Je le pourrais, sans doute. Sa voix résonne encore : « Et en plus, je vais m'en prendre plein la gueule. » Il avait déjà vacillé, à cette époque, j'aurais pu le perdre plus jeune encore ; certains sentaient que son honneur meurtri pourrait lui faire commettre un geste irréparable et lui avaient confisqué son arme.

Je pourrais faire le portrait de mon père en homme assassiné ; sa vérité est peut-être ailleurs. Il n'était ni ce shérif, ni cet anti-shérif, avide lecteur de *De l'esprit des lois*, comme des articles l'ont inventé. En ne l'érigeant pas en homme sacrifié mais en homme fragile, c'est mon père que j'aime, non une image que je voudrais avoir, de lui ou de moi-même. Mes révoltes d'adolescente et mon désir d'être, comme lui, exceptionnelle ont fini par céder devant l'essentiel. Je suis la fille d'un homme, qui était magistrat, qui n'a peut-être pas supporté le système, qui s'est peut-être trompé, qui a peut-être été trop droit et trop fragile, qui en a été fauché, qui…

Son mystère et son mal-être. L'unique vérité de quelqu'un est peut-être la douleur qui l'opprime et contre laquelle il ne peut rien. Cette sorte de frémissement qui le parcourt, de part en part. Il n'y a pas de mesure objective de la douleur d'un homme. Et c'est cette humanité que je respecte, celle qui m'a peut-être privée de lui. Il n'était pas autre chose qu'un homme. Certains penseront que, pour ce qu'il avait à entreprendre, c'est bien peu ; peut-être est-ce déjà trop.

Mon père a donné à mes souvenirs une texture étrange où se mêlent son visage et des bribes d'actualité. Et, lorsqu'en France, on se remémore les remous de la première cohabitation, lorsqu'est évoqué le débat présidentiel entre Jacques Chirac et François Mitterrand, cette joute verbale, ce « regardez-moi dans les yeux[1] », c'est à lui que je pense, à sa bouche qui s'est crispée, à la cigarette qu'il est allé chercher et a mis de longues minutes à trouver, avant de revenir s'asseoir près de nous, les yeux embués.

Je ne parle que de cela. De mes yeux d'enfant sur son regard perdu.

Le reste n'est que vacarme, coups infligés pour rien. Quelques députés ou ministres se sont heurtés autour de ces dossiers. Je n'ai pas envie de

1. François Mitterrand : « Moi, je n'ai jamais libéré de terroriste. Je me souviens des conditions dans lesquelles vous avez renvoyé en Iran M. Gordji après m'avoir expliqué à moi, dans mon bureau, que son dossier était écrasant et que la complicité était démontrée dans les assassinats qui avaient ensanglanté Paris à la fin de 1986. »

Jacques Chirac : « Monsieur Mitterrand (...). Pouvez-vous me dire en me regardant droit dans les yeux que je vous ai dit que nous avions les preuves que Gordji était coupable de complicité ou d'action dans les actes précédents alors que je vous ai toujours dit que cette affaire était du seul ressort du juge, que je n'arrivais pas à savoir – ce qui est normal compte tenu de la séparation des pouvoirs – ce qu'il y avait dans ce dossier et que, par conséquent, il m'était impossible de dire si véritablement Gordji était impliqué ou non dans ces affaires. Et le juge en bout de course a dit que non. Pouvez-vous vraiment contester ma version des choses en me regardant droit dans les yeux ? »

François Mitterrand : « Dans les yeux, je la conteste. »

m'affronter à tout cela, je n'en sortirais pas indemne. Et j'y mêlerais le souvenir de ses yeux tristes.

Le reste parle des années quatre-vingt, au dos des coupures de presse que nous avons amassées et que nous gardons sans pouvoir les regarder. Ce sont les clichés d'une époque de cheveux permanentés et décolorés, de Madonna et de *Like a Virgin*, du conflit Iran-Irak, des groupes Gold, Partenaire Particulier et de Boy George, de Murray Head, du générique de *Champs-Élysées*, de golden boys et de krach boursier, de l'hymne d'Allemagne de l'Est sur les stades et dans les piscines olympiques, de Gorbatchev, de terrorisme international. Et de lumière médiatique. Crue.

IV

Relire les journaux qui doivent jaunir, regarder les cassettes vidéo des actualités et retracer jour après jour l'avancée des dossiers d'après ces documents… Je ne crois pas que j'y rencontrerais ce qui fait la substance de nos souvenirs.

Un jour, j'ai retrouvé un enregistrement — l'une de mes auditions de piano où je joue un *Moment musical* de Schubert. Un ami nous avait prêté son caméscope et ma mère nous a ensuite filmés dans notre appartement de la rue Caulaincourt. Mon père s'amuse avec la chienne et éclate de rire, de ce rire suraigu qui survit dans le mien ; j'asticote mon frère dans sa chambre verte, il brandit le *Petit livre rouge*, et je harcèle ma mère pour qu'elle me filme dans ma chambre. Je peux précisément dater ce mois grâce au morceau que j'avais travaillé durant le printemps de ma cinquième chez mon professeur de piano, rue Cavallotti. Une petite rue sombre près de la place Clichy. Ce printemps 1989, j'ai onze ans.

Mon père rit avec tant de bonheur qu'il n'y a pas d'avant, ni d'après.

Cet été 1998, j'avais vingt et un ans, et je n'ai pas pu supporter son rire et les lendemains que je lui connaissais. J'étais seule devant cette preuve : nous avions été heureux, même durant ces années-là. J'ai éteint la télévision, titubé jusqu'à ma chambre, pleuré contre mon piano refermé.

Ce bonheur d'alors, ces quelques minutes ensemble m'ont été, sur l'instant, insupportables. Aujourd'hui, celles-là comptent plus que tout. Ce n'est pas la vie de mon père que je cherche à capturer. Je ne pourrai pas retrouver ses pensées, ses gestes et son existence lorsqu'il était au loin. Je ne le connaissais pas, je ne savais rien de lui, une fois qu'il n'était plus près de moi. Même en le traquant dans mes souvenirs, j'ai parfois le sentiment d'être infidèle, approximative ; certains me paraissent douteux ou incompréhensibles. Je crois que je ne m'approcherai pas davantage d'une quelconque vérité en repassant des cassettes ou relisant des journaux. Ce qui perdure de mon père sont ces souvenirs, cette vie un peu étrange, bordée de douleurs. Cette vie brève et tremblante, comme un segment tracé avec une règle en plastique ébréchée — celle que j'abîmais dans mes sacs à dos d'alors.

Mon sac à dos rose et noir, aux couleurs fluorescentes des années quatre-vingt, oublié un soir sur le paillasson, devant l'appartement. Il était lourd de classeurs et de livres, d'une journée de huit heures de cours, et, pendant que ma mère ouvrait la porte, je m'en étais débarrassée pour me précipiter vers la cuisine et prendre mon goûter. Peu après, la sonnette — ma mère est allée ouvrir. Un inspecteur de police demandait timidement si le sac était à nous ; sinon, il faudrait au plus vite appeler les démineurs et nous faire quitter l'appartement. Je m'étais approchée, cachée derrière la porte pour écouter la conversation, ma mère s'est excusée auprès du policier et m'a demandé de récupérer mon sac. J'aurais voulu qu'elle le fasse elle-même, au lieu de me faire sortir prendre mes affaires, penaude.

De petits épisodes comme ceux-ci constellent notre vie. Des petites bribes d'absurde, ou de bizarrerie, nées de la présence des gardes du corps et des menaces, ou des échos de certains dossiers de mon père. Des petits rituels, aussi, comme si les habitudes parvenaient à se faufiler partout, malgré tout.

Il était huit heures ou neuf heures. On sonnait à la porte. Mon père recherchait sa mallette, ses chaussures, son manteau. Il parcourait le couloir, de sa chambre à l'entrée, puis faisait le chemin inverse et quelques tours rapides dans le salon. Ma mère, entre-temps, avait ouvert la porte et fait entrer les gardes du corps ; elle leur servait souvent un café pour les faire patienter, tandis que mon père ne trouvait pas ses lunettes.

— Bonjour, monsieur le juge.

Dans ces quatre mots se recueille mon enfance.

Lorsque mes cours commençaient à huit heures et quart, je partais avec mon père et l'escorte. Ils me déposaient au collège. Quand les portes étaient encore closes à notre arrivée, nous restions de longues minutes, à distance, dans le véhicule blindé. Puis je m'en extirpais, embrassais mon père et rentrais précipitamment dans l'enceinte de l'établissement. Les réflexions étaient inévitables :

— Tu as combien de papas ?

Nous avions l'âge où personne ne mettait sa capuche quand il pleuvait. Il fallait sembler indifférent à tout, aux parents comme à la pluie. Un matin d'averse, en entrant en salle d'allemand, une voix forte :

— Forcément, quand il pleut, elle arrive les cheveux secs.

J'ai été m'asseoir.

Je n'allais pas au café, pas au cinéma seule avec les autres, comme les autres. Une fois, j'ai tenté de les rejoindre, pour un « déjeuner de classe » dans l'appartement immense d'un grand maigre qui habitait en face du lycée, mais il était trop tard. Les clans étaient déjà constitués ; sous les amitiés grondaient les amourettes et personne ne m'aimait. Quelqu'un m'a demandé si je comptais m'incruster, je me suis fait défendre par une demi-solitaire. Puis j'ai fini par mériter ces inimitiés que je n'avais d'abord pas cherchées. Je me suis murée en moi-même, accumulais les bonnes notes pour me venger, attendais la fin de la journée pour aller lire et faire du papier florentin à la cuve ou des bracelets en perles. J'ai été malade tant que je l'ai pu.

— C'est presque normal, Manou. Tu réagirais de la même façon, je t'assure.

Je ne supportais pas les absolutions de mes parents, les excuses qu'ils trouvaient sans cesse aux autres. Ils voyaient l'ignorance là où je voyais la méchanceté et la bêtise faciles.

Mon frère avait dix-sept ans — il prenait le métro, le bus, sortait, et des voix féminines le réclamaient souvent au téléphone. Il avait refusé toute protection. Il ne voulait pas entendre parler de risques. Mais rien ne pouvait le soustraire aux vexations ordinaires.

Un soir, il est revenu du lycée comme enragé, exhibant à ma mère un mot dans lequel lui était donné un après-midi de colle pour « conduite irrespectueuse ». Un surveillant l'avait accosté en lui lançant d'un trait : « Votre père est la risée des étudiants de Nanterre. » Je me souviens des remous au cours du dîner qui a suivi ; ma mère a annoncé qu'elle ne demanderait pas que la punition soit levée, mon frère n'avait pas à être insolent. Elle nous a, des années plus tard, avoué combien elle avait peiné à trouver ses arguments. La dignité était la seule réponse à l'insulte, avaient martelé mes parents. Ne pas répondre. Traquer le comique ou le ridicule, à la place. Y chercher un souffle pour accepter cette vie. S'amuser des portraits de mon père dans lesquels des journalistes peu renseignés mais imaginatifs faisaient de lui un amateur de Wagner et joueur de jazz accompli, lui qui ne savait que chanter *The Sound of Silence*. Le harceler de citations sorties de leur contexte : « Comme l'a dit le juge Boulouque, la réalité dépasse parfois la fiction », avait-on entendu un matin sur France Inter. Après l'avoir félicité bruyamment de tant de sagacité, nous lui avons asséné la citation à chaque occasion, l'avons entortillée dans tous les sens, jusqu'à lui trouver une forme nouvelle dans laquelle elle est désormais figée : « La réalité dépasse parfois l'affliction. »

Noël 1987. Nous avons retrouvé la Côte d'Azur et le studio en bord de mer. Nous déjeunions parfois Chez Pascalin, l'un des restaurants de plage où ma grand-tante avait ses habitudes. Les salades niçoises servies sur des sets de table en papier, verts d'un côté et blancs de l'autre, les tables et les chaises en métal. Le patron et le serveur avaient pour nous la familiarité réservée aux faux habitués, ceux de l'hiver, lorsque le littoral est dépeuplé. J'ai le souvenir d'un soleil blanc, ce jour-là ; nous descendons les quelques marches vers la terrasse du restaurant. Le serveur vient à notre rencontre, et d'un air faussement désinvolte s'adresse à mon père :

— Ah, justement. Deux types sont passés, il y a environ dix minutes, pour vous voir. Ils savent que vous êtes dans le coin et ont dit qu'ils étaient des amis. Je leur ai dit que vous n'alliez pas tarder.

Ma mère se retourne violemment vers mon père.

— Et ils étaient comment ?

— Un grand, un petit. Frileux, je peux vous dire, parce qu'ils gardaient leur blouson et les mains dans les poches. Mais c'est normal, des gars du Sud, enfin le teint basané, quoi.

Mes parents échangent un bref regard, ma mère secoue la tête. Mon père s'agrippe à sa pochette. Évidemment, c'est à son contenu qu'il pense, à ce revolver qu'il m'a montré un an plus tôt au même endroit, et, à l'instant où mon père fait un geste pour nous désigner la plage, le serveur éclate de rire :

— C'était une blague.

Aucun d'entre nous ne sourit.

— Eh, oh, personne n'est venu, c'était juste pour rire.

Ses traits se relâchent, mon père se détend, sourit, rit en traitant le serveur d'imbécile, et s'avance vers une table au soleil. Mais quelque chose comme un ressort avait été comprimé, la panique avait déferlé et ce type avait, quelques secondes, rendu réels nos cauchemars. J'ai siroté une grenadine à l'eau, puis ai mangé ma salade niçoise et celle de ma mère ; elle n'avait pas faim.

Le lendemain, mon père est sorti rayonnant de la cuisine du studio. Il avait déchiré un carton ramené des courses, et écrit au feutre bleu en gros caractères : « Ici, on peut apporter son manger. » Puis il a pris une ficelle, nous a invités à le suivre jusqu'au restaurant. Là-bas, il a accroché son panneau de vengeance autour du menu destiné aux passants. Puis il est descendu vers la terrasse.

— Nous venons juste prendre l'apéritif, a-t-il dit.

Quelques minutes plus tard, en voyant deux gros s'installer à une table, déballer leur sandwich et casser la coquille de leurs œufs durs sur les chaises en métal, le serveur a été pris d'un doute et nous, d'un fou rire ; il est revenu avec l'écriteau, le visage fendu d'un sourire penaud.

Ces rires — nos petites victoires.

Peut-être est-ce dans mes souvenirs que l'on parlait si fréquemment de mon père ; est-ce aussi parce que je guettais son nom qu'il me semblait être si souvent prononcé ? Est-ce à cette période que la justice a fait l'objet d'une couverture médiatique nouvelle ? Est-ce pour cette raison que les juges sont devenus des noms, puis des visages ? Est-ce parce que le terrorisme avait envahi la vie publique, parce que le Hezbollah, les otages, Action Directe, Georges Ibrahim Abdallah, Fouad Ali Saleh, l'ETA, le DC 10... Est-ce à cause du « petit juge » ? — ce juge d'un mètre soixante-douze, celui que, sous la toise, j'aurais dépassé, l'été de mes quatorze ans, mon premier été sans lui.

Certains journalistes ont essayé de lui arracher des images de sa vie familiale, des reportages bourrés de clichés sur notre existence, des anecdotes. Mais il n'a rien voulu céder.

Un vendredi soir, une amie a téléphoné et demandé à parler à ma mère. D'un geste sec et inhabituel, elle m'a fait sortir du salon. Cachée derrière la porte, je n'ai entendu que des questions angoissées : « Et il était comment ? Tu dis qu'il gardait les mains dans les poches ? Il savait qu'on a une petite fille brune ; tu es sûre ? Et il continue à traîner en face ? » Ma mère a raccroché ; j'ai regagné ma chambre sur la pointe des pieds ; mon père n'a pas tardé à rentrer. La nuit était déjà tombée, une veille de week-end, novembre 1988. L'entrée de l'appartement est devenue le lieu d'un conciliabule consterné et il a été décidé que nous partirions le lendemain tôt chez des amis près de Lille. J'étais partagée entre l'excitation de manquer le cours de mathématiques de dix heures et une petite crainte : ce type, qui savait que j'étais brune, allait peut-être filer entre les doigts des policiers et réapparaître, en terroriste averti, quand on ne l'attendrait pas. J'allais peut-être être enlevée et il faudrait que mes parents donnent de moi une jolie photo pour la presse. Je lisais pour la troisième fois le *Journal* d'Anne Frank et, sur la couverture de mon Livre de Poche, figuraient ses portraits d'identité et sa phrase : « J'espère toujours ressembler à cette photo, comme cela j'aurai peut-être une chance d'aller à Hollywood. » Je ne rêvais pas de Los Angeles mais, si j'étais kidnappée et libérée, j'avais simplement envie d'être remarquée par Louis Malle : ému par mon portrait qu'il verrait dans le journal, il me demanderait dans l'un de ses prochains films. Ma mère venait de m'offrir la cassette vidéo d'*Au revoir les enfants* et je peaufinais devant la glace les répliques du film que j'avais apprises par cœur. Mon délire cinématographique a tourné court ; mes parents avaient un visage trop soucieux. Le lendemain, très tôt, ma mère est allée prévenir les commerçants de la possible apparition du rôdeur puis l'escorte nous a emmenés au loin. Notre présence dans le quartier devenait indésirable. Certains commerçants en ont profité pour demander à ma mère si nous comptions prochainement déménager : quelques semaines auparavant, un paquet suspect avait été repéré devant l'entrée de l'immeuble et tous les magasins alentour avaient été évacués ; en dessous de nos fenêtres, se trouvait un institut de beauté — imaginer les clientes recroquevillées dans l'arrière-boutique avec de la cire rose sur les mollets m'a longtemps fait sourire.

Nous avons regagné Paris sereinement. Le suspect avait été appréhendé. Ce n'était qu'un pigiste, chargé de faire un papier sur le juge en famille, qui avait vraisemblablement dépouillé les listes électorales de l'arrondissement, découvert notre ancienne adresse, interrogé la gardienne ; il s'était ensuite rendu, sur ses conseils, chez nos amis, qui avaient affirmé ne plus nous voir et nous avaient immédiatement prévenus. Mon père ne souhaitait pas cette confusion des genres. Il n'était déjà que trop exposé et nous l'étions aussi, par contiguïté. Il nous prévenait, dans la cuisine couleur crème, quelques jours auparavant, des probables retentissements à venir autour de ses dossiers. Il avait cette formule, dont je ne parviens plus à me souvenir, qu'il nous jetait, à la fois souriant et crispé, par laquelle nous savions qu'il allait bientôt être question de terrorisme, et de lui, dans les journaux. Il ne nous l'annonçait pas d'emblée mais, à son regard, je savais s'il allait « s'en prendre plein la figure », comme il le disait, ou si ce n'étaient que des éléments ponctuels des dossiers dont la presse devait rendre compte.

Toutes ces années, le rituel était le même. J'étais assise par terre, le doigt sur la touche du magnétoscope, les yeux rivés sur l'écran en hauteur, à attendre la décharge qui me parcourait dès que j'entendais prononcer notre nom, celui de mon père. Durant ces minutes, de tout l'appartement, seul un petit bout de pièce, ces quelques mètres proches de la télévision, était habité, et je nous vois accroupis, recroquevillés, tapis dans l'attente des quelques phrases du journal de vingt heures. Antenne 2, TF1, La Cinq, M6 défilaient en quelques minutes. Puis nous nous dispersions. J'allais finir un devoir pour le lendemain, jouer quelques notes de piano. Nous nous retrouvions à la cuisine où la pendule du four indiquait neuf heures passées. Personne n'avait faim et des révoltes grondaient parfois contre ce cérémonial chronophage et bêtifiant.

Longtemps mon père avait pris autour de cette table des initiatives sans lendemain. Il s'armait du dictionnaire pour nous apprendre cinq mots compliqués par jour, ou tentait de prolonger nos séjours italiens par des leçons de la méthode Assimil ; au deuxième soir éclatait une rébellion face à laquelle il se hâtait de capituler. Puis ses tentations de pédagogue ont disparu. Jeune, il avait rêvé de devenir professeur d'histoire, puis avocat, et il était magistrat. À ses cours nostalgiques ont succédé ses plaidoyers, après les informations, pour que ses enfants ne le condamnent pas. Des plaidoyers lacunaires, parce qu'il ne pouvait tout nous dire ; des plaidoyers pro domo — une locution qu'il avait voulu nous faire retenir.

V

Code pénal. Article 378, alinéa 1. Violation du secret de l'instruction.

Est-ce, employé contre lui, cet article-là ou un autre qui a rendu la souffrance de mon père un peu plus insupportable ? Cet article-là ou autre chose ? Je n'en sais rien. C'est peut-être parce que ces textes de droit, ces codes et ces lois, ravivent trop de blessures que je ne suis pas devenue l'avocate que je me promettais d'être, petite.

Suite à des fuites autour d'un dossier, à la copie du procès-verbal d'un interrogatoire parue dans la presse, mon père a donné un entretien au *Journal du Dimanche*. Deux jours plus tard, lui était notifiée son inculpation pour violation du secret de l'instruction. Les temps ont changé, et la dénomination est maintenant : « mise en examen ». Et ces sanctions sont extrêmement rares. C'était une brimade de la part de sa hiérarchie, comme les promotions qui lui étaient refusées, comme les salutations qu'il n'entendait plus dans les couloirs du Palais, comme les regards qui se détournaient. De tout cela, mon père n'a jamais parlé devant moi. Pour l'apprendre, j'ai compté sur ma démarche légère : je connaissais les lattes du parquet, je savais lesquelles éviter, lesquelles grinçaient, et sur lesquelles me glisser pour écouter des conversations qui ne m'étaient pas destinées. Lorsque je pensais être bientôt découverte, je mimais une arrivée pataude et inventais une insomnie ou une question.

Je n'accuse rien, ni personne, et ne témoigne de rien d'autre que de mon enfance espionne. Ce sont là des méfaits que je ne regretterai jamais — grâce à eux, j'ai davantage de souvenirs de mon père ; peut-être avais-je déjà compris que, pour les amasser, le temps m'était compté.

Octobre 1988.

Ma mère vient me chercher à la sortie du collège. L'automne est encore tiède mais je suis habillée comme si les températures étaient aussi basses qu'elles auraient dû l'être en cette saison. J'étouffe comme tous les enfants trop couverts, dont le visage rougit avant qu'ils ne finissent par abandonner leur blouson en boule dans un coin, près de leur cartable.

Nous nous dirigeons en silence vers l'arrêt d'autobus, rue de Leningrad, et je regarde la vitrine de l'*Iris Bleu*, la boutique de cadeaux ; chaque jour j'y détaille les petits objets en bois peints en attendant le 80.

— Ce soir, on va reparler de papa aux informations, Clémence. Tu ne t'inquiètes pas. C'est un peu le monde à l'envers ; il a été inculpé de violation du secret de l'instruction.

Je me souviens de la confusion qui m'a saisie soudain. Je me suis demandé un instant s'il allait pouvoir rentrer, ce soir-là. Il y avait un rayon de soleil. La vitrine m'éblouissait. Je crois n'avoir rien répondu ; j'ai tenté de regarder ma mère mais n'ai vu qu'une forme blanche. Comme si elle m'avait devinée, elle a dit qu'il rentrerait plus tôt ce soir, justement, puis m'a expliqué qu'être inculpé n'était pas être écroué, qu'une inculpation n'était pas une condamnation. Chacun était présumé innocent avant qu'un jugement n'établisse le contraire — la présomption d'innocence.

Mon père était déjà à l'appartement, à six heures, lorsque nous sommes rentrées. Il était là, avec son visage qui saignait de l'intérieur, sa bouche statique de douleur. Je n'ai pas posé mon cartable, me suis précipitée vers lui et ses bras se sont refermés sur moi, mais j'ai senti que j'étais blottie dans du vide. Il s'était déjà absenté.

Deux jours plus tard, un samedi, avait lieu la soirée du bâtonnier au palais de justice, une obligation dont mes parents tentaient toujours de s'affranchir. Cette fois-ci, mon père devait y être.

Il lui fallait des chaussures qui iraient avec un smoking prêté pour l'occasion. Sans en aviser les gardes du corps, nous sommes allés seuls dans une boutique un peu sordide proche du métro Château-Rouge, une boutique de dégriffés où les prix étaient raisonnables. Des boîtes étaient empilées jusqu'au plafond et le seul modèle à sa taille était démodé, avec des talons trop hauts, comme ceux de Claude François. En décrivant à cet instant l'atmosphère poussiéreuse du magasin, le fauteuil mal rembourré sur lequel nous étions assis, je retrouve la voix de mon père, et sa question rapide et répétée : « Qu'est-ce que tu en penses ? Je les prends quand même ? »

Sur le chemin du retour, il m'a fait rire, pour une raison qui m'échappe à présent. Il ne me reste plus qu'une sensation ; la rue qui monte, la bouche tendue par le froid, la nuit tombée, et nos rires un peu nerveux, ma main dans la sienne. Puis, je revois l'air amusé de ma mère, la boîte à chaussures ouverte. J'attends leur départ et observe, adossée contre un mur de l'entrée, leurs ultimes essayages crispés. Puis on a sonné, j'ai embrassé mes parents et j'ai fermé la porte sur le juge Boulouque et son épouse.

Au cours du journal télévisé de treize heures, le lendemain, mes parents montent les marches du Palais, celles de la place Dauphine, entre les sculptures de lions. À l'intérieur, une caméra les capture en pleine discussion avec des personnes inconnues. Ma mère s'est sans doute sentie épiée ; elle fixe un instant la caméra puis détourne la tête ; j'imagine qu'elle n'a rien suivi de la conversation. Sa robe, belle et noire, a été rendue à une amie le lendemain. De cette soirée ne subsistent que la cassette vidéo que je n'ai jamais revue, l'écho des commentaires sur la fière apparition du juge désavoué par ses pairs. Et surtout le souvenir de cette paire de chaussures — et de nos rires, aux larmes.

C'est devant les statues de lions du palais de justice que mon père a été photographié, deux ans plus tard, pour l'agence Sigma. Ses derniers clichés, pris en novembre 1990, que nous n'avons vus qu'après sa mort. Ces photos — peut-être un cadeau d'adieu.

VI

L'inculpation a très profondément marqué mon père. Il laissait parfois échapper, au cœur d'une conversation anodine, « de toute façon, c'est un inculpé qui vous parle », et il partait d'un rire bref. Deux jours avant sa disparition, il en parlait à un collègue, dans les couloirs du palais de justice.

Les quelques mois qui ont suivi ne me parviennent pas avec netteté, comme s'ils avaient été dépolis par cette affaire. Mon père partait en mission, rentrait tard et avait jeté un dévolu obsessionnel sur mon ordinateur. Pendant deux ans, à toutes les fêtes, j'avais réclamé de l'argent pour cet Atari 1040. Un ami informaticien me l'a apporté un soir de décembre 1988 où mon père était aux États-Unis, convié à une série de conférences sur la lutte antiterroriste. Parmi les logiciels du pack de bienvenue, j'avais trouvé un programme d'écriture de scénario. Il s'agissait du squelette d'une intrigue malingre et moyenâgeuse avec bien peu de place pour des notes personnelles :

« La princesse retrouva le prince charmant. » *Comment ?*

Réponses : 1. Grâce au magicien/ 2. En le rejoignant sur son fidèle destrier/ 3. En fuyant à travers la forêt. 4/ Autres (préciser).

Bien vite, au cours de la soirée, ma mère, mon frère et nos amis nous sommes rejoints dans ma chambre autour de l'écran et avons fait de cette trame une invraisemblable histoire d'espionnage et d'attentats.

Dès son retour, mon père a régulièrement pris possession de l'ordinateur, et jouait de longues heures à Pac Man. Il lançait des défis à mon frère, perdait à Arkanoïd et à un autre jeu dont j'oublie le nom — Bubble Bobbles, peut-être. Le samedi matin, lorsque je rentrais du collège, je le retrouvais souvent en survêtement devant l'écran. Je protestais, lorsque j'avais sommeil ou envie d'être seule dans ma chambre, mais, au fond, j'étais satisfaite ; j'avais l'impression que mon père me devait quelque chose ou, plus exactement, que j'avais acheté, avec cet ordinateur, un petit peu d'insouciance. Le seul à avoir triomphé des dossiers terroristes, à les lui avoir fait oublier par moments, est sans doute ce bonhomme, Pac Man, qui échappe aux fantômes, finit par les manger, ou en être avalé.

De New York, mon père m'a rapporté une baguette transparente, qu'il qualifiait de « magique » et dans laquelle flottaient des confettis en forme d'étoile. La pochette cadeau indiquait The Nature Company. En 1993, je suis partie pour la première fois aux États-Unis. Dans un *mall* près de Palo Alto, je suis restée interdite. En vitrine d'une boutique à l'enseigne verte, des baguettes magiques. Je me suis approchée, ai lu l'enseigne, The Nature Company, suis entrée. Ces baguettes étaient en fait un morceau de kaléidoscope. Il s'agissait de les glisser dans un cylindre percé à leurs dimensions et de faire tourner l'ensemble. Elles existaient en plusieurs couleurs. Et parmi elles, il y avait ce bleu azur choisi par mon père cinq ans auparavant. J'ai acheté un kaléidoscope et suis sortie du magasin en tenant contre moi, dans mon sac de papier, ma baguette magique. Mon père faisait sans doute de son mieux pour que je comprenne qu'il ne m'avait pas vraiment quittée.

Durant toutes les années avant qu'il ne s'efface, il était souvent absent, en mission. Je lui imposais nos petites batailles rangées, en retour, mes petites vengeances et mes caprices, ces dissensions qui meurtrissent la mémoire, pour avoir alors ébréché notre entente.

Je lui faisais payer ses absences en rédigeant des listes de cadeaux à me rapporter, minutieusement établies en fonction des destinations pour lesquelles il nous quittait. Au dos des Barbie, j'avais relevé un « Made in Singapour » et lui avais réclamé une poupée comme il partait en Asie du Sud-Est. Il était revenu avec un modèle que j'avais déjà reçu pour mon anniversaire. Ses yeux suivaient mes doigts qui arrachaient le papier et il attendait la joie que j'ai mimée. Je me suis retenue de fondre en larmes lorsqu'il m'a demandé s'il avait bien choisi. Mission après mission, j'ai grandi et ses cadeaux ont changé à mesure ; des habits de Barbie, la baguette magique, puis des bijoux et un stylo carmin.

Auprès de moi, il compensait ses absences par une affection débordante, difficilement supportable. Plus il réclamait d'effusions de ma part, plus je les lui refusais. J'étais au seuil de l'adolescence, n'avais plus envie de faire des câlins à mon père — c'était de sa faute s'il ne me voyait pas grandir.

L'été 1989 — celui de nos dernières vacances en Italie ; nous avons quitté le petit village de Coccore dans un épais brouillard, un 15 août au matin. Trois jours à Florence, la route de Paris.

Je suis entrée en quatrième quelques semaines plus tard, ai achevé de me murer dans la solitude, dans les livres, et dans la peur.

Il était tard. J'étais assise sur une chaise, au deuxième rang d'une salle très claire. Quelqu'un m'a frappé l'épaule et je me suis retournée. C'était un terroriste, dont la photo était fréquemment apparue sur les écrans de télévision, lors du journal du soir. Il avait un énorme couteau, levé à hauteur de mon cou.

— On n'arrive pas à avoir ton père, mais toi, on ne va pas te rater.

Je me suis levée d'un bond en hurlant, ai pris tous les livres de l'étagère au-dessus de mon lit, les ai jetés pour me défendre. Ma mère a accouru. Je me suis calmée. J'étais sauve. Mais je risquais autant, sans doute, dans la réalité que dans mon cauchemar.

Ce terroriste menaçait mon père à chaque interrogatoire. Il le traitait de sale porc, sale Juif, sur la tombe duquel on construirait des chiottes. Cela, je l'avais entendu à la télévision et lu dans la presse. Mon père a accueilli mes angoisses en riant. Peut-être redoutait-il ces interrogatoires où l'autre tentait par tous les moyens de le déstabiliser. Il ne me l'a jamais avoué et montrait un visage confiant, claironnant parfois qu'il n'avait pas besoin de gardes du corps. Pourtant, c'est à ce moment que deux jeunes femmes ont été affectées à ma protection. Et que l'angoisse est devenue lancinante.

Après ce cauchemar, je n'ai plus jamais retrouvé l'insouciance. Cette nuit me semble toujours marquer la fin d'une époque. La mort de mon père a mis fin à cette peur permanente. Substituer la douleur à la peur. N'y avait-il pas d'autre choix ?

Pendant de longues semaines, je n'ai plus dormi qu'à l'aube, quelques heures avant que ne sonne le réveil. Je faisais la sieste en rentrant du collège, le soir, lorsque mes gardes du corps étaient là. La nuit, dans mon lit, j'étais armée : j'avais réclamé à ma mère une bouteille d'Évian en verre, pour la casser sur la tête de qui viendrait me tuer.

Mon père passait de longues minutes auprès de moi, sans parvenir à m'apaiser. Il parlait d'une voix douce, disait que notre vie était bien plus normale qu'elle n'en avait l'air. Les terroristes ne devaient pas m'effrayer. Si leurs discours étaient si violents, c'est qu'ils savaient avoir perdu. Et, dans la vie, il fallait supporter quelques contraintes — les gardes du corps en étaient une, ils n'étaient en rien la preuve du danger. Mais je restais effrayée et il s'emportait parfois contre moi. Peut-être était-ce aussi contre son impuissance à me rassurer.

Puis l'homéopathe m'a calmée d'une petite phrase : « La peur n'efface pas le danger. » Il est impossible d'être en éveil constant, impossible de ne rien risquer. Même une vie sans terrorisme est fragile, m'a-t-il dit avec ses intonations de Tunisie, et j'ai eu envie de le croire.

J'ai retrouvé des horaires de sommeil qui ont comblé mes cernes. Je conservais la bouteille auprès de moi la nuit et mes gardes du corps, le jour.

Depuis le mois de novembre 1989, ma mère travaillait de nouveau à plein temps ; ses expédients et le travail temporaire ne parvenaient plus à combler les découverts, ni à duper le directeur d'agence à la banque.

Mes gardes du corps restaient avec moi en attendant le retour de mes parents et je ne savais comment leur épargner l'ennui qui devait poindre à jouer les baby-sitters. Des baby-sitters avec un holster à l'intérieur de leur veste de tailleur. Je leur montrais mes livres de classe, des magazines, des idioties qu'elles regardaient patiemment. Parfois, je leur allumais la télévision, et restais auprès d'elles. Elles étaient Véronique et Patricia, mes deux amies ; mes deux seules amies qui ne m'avaient pas choisie.

Pour leur faire plaisir, j'ai regardé Roland-Garros avec frénésie. Je leur récitais mes leçons d'allemand lors de la coupure publicitaire.

Mai 1990. J'ai découvert avec elles de jeunes prodiges, Monica Seles, puis Jennifer Capriati. Grâce à elles mes pas me guident parfois fin mai au stade de la porte d'Auteuil. Et lorsque je m'approche de l'entrée et sens l'odeur de la terre fraîche, avenue Gordon-Bennet, lorsque j'entends les balles claquer, je me dis qu'à cette vie d'alors, j'ai au moins arraché le goût du tennis, et le souvenir de leurs brèves présences.

L'été 1990, nos dernières vacances ensemble. La Grèce, cette maison près d'Athènes, à Galassi Akti, un nom presque irréel, les melons, les yaourts et les gâteaux secs en rentrant de la plage ; ma première année de grec mise à l'épreuve, en tentant de déchiffrer les inscriptions sur les vases des musées. Delphes, Mycènes. Et cette photo prise au cap Sounion où j'appelle mon père, pour qu'il regarde dans ma direction — le visage qu'il lève vers moi vibre de douleur.

Depuis le mois de mars, il avait été saisi des dossiers de l'ETA et cela lui était un fardeau ; il préférait les problématiques du Moyen-Orient, avait-il dit à ma mère un jour de découragement.

Nous le voyions moins, finalement, que les agents de la Direction de la surveillance du territoire qui l'accompagnaient dans ses missions et ses enquêtes. Certains nous ont raconté ses hauts faits, ses petits déjeuners sans fin, les avions presque manqués — mon père entraînait tout le monde dans ses retards. L'Espagne, Chypre, la Tunisie — des dossiers qui s'épaississaient sans cesse.

J'ai retrouvé quelques feuilles volantes de cette période, des feuillets simples, petit format, grands carreaux, perforés ; j'y écris à mon grand-père décédé, lui parle de ma passion pour le Tour de France, pour le coureur Greg LeMond et pour la *Marche turque*, de nos vacances en Grèce, de notre vie.

« Dimanche 10 juin 1990, 23 heures 23,

Mon cher papi,

Je suis là. Assise sur mon lit, un stylo à la main, je t'écris. Mercredi, cela fera six ans que tu es parti. Comme ça. Beaucoup de choses ont jailli de notre vie : papa fait du terrorisme (...) »

« Le 22 juin, 20 heures 35,

Papa, à l'heure où je t'écris, est au stade à un meeting d'athlétisme. Comme avant, sauf que maintenant on est très loin d'avant, c'est comme sur une plage où on voit la mer, puis l'horizon, l'horizon est avant, la plage c'est maintenant. Pourtant, il n'y a que trois-quatre ans qu'on a échoué sur cette plage ; nous sommes des Robinson Crusoé de la vie !

Voilà, maman m'appelle, je t'embrasse, à plus tard

— Manou Reva, fait-elle.

— J'arrive !

Bises,

Clémence. »

Puis un début de récit, au mois de septembre — une tentative de quelques lignes :

« Il est 8 heures 14 au radio-réveil lorsque les gardes du corps sonnent. Elle est déjà réveillée, c'est un mini-miracle. C'est monsieur Marteau aujourd'hui qui protégera son père. Monsieur Mallier les conduira à l'aéroport, direction Madrid. Ce matin, après le sacro-saint billet de Philippe Meyer et *Est-Ouest* sur France Inter, il y a eu les infos. Aujourd'hui, c'est la rentrée — son père ne sera pas là, c'est la troisième rentrée d'affilée qu'il lui fait le coup.

— Clémence, tu rêves, il est neuf heures, tu n'as pas déjeuné, tu n'es pas habillée et ils viennent te chercher à neuf heures et demie. »

Dans certains des hôtels où il descendait à l'étranger, trois ou quatre voitures sortaient au même instant toutes sirènes hurlantes, afin de brouiller les pistes. Personne ne devait savoir dans quel véhicule il se trouvait. Des policiers étaient postés devant sa porte et sa fenêtre.

Ma mère lui demandait parfois d'arrêter. Il était fatigué. Mais il ne pouvait pas se résoudre à se dessaisir d'un dossier.

Fin novembre. Au retour du palais de justice, le chauffeur avait emprunté un couloir de bus du boulevard Sébastopol. Un conducteur a surgi de la gauche pour tourner à droite ; en tentant de l'éviter, le chauffeur a violemment percuté un panneau d'affichage qui s'est plié sous le choc. Mon père est rentré à la maison et a été conduit chez le médecin, afin que celui-ci ausculte son cou et ses vertèbres. Je regretterai toujours que l'accident n'ait pas été plus grave ; si mon père avait été transporté à l'hôpital dans un état préoccupant, s'il avait frôlé la mort, il ne l'aurait peut-être pas choisie. Peut-être.

Quelques jours avant que mon père ne s'absente pour toujours, il avait voulu dîner avec ma mère dans un restaurant thaïlandais de Montmartre, rue de la Fontaine-du-But. Une fois dehors, il s'est aperçu que son arme n'était pas dans sa pochette.

— Tu ne te rends pas compte de ce que je risque, a-t-il murmuré dans un souffle.

Ils sont retournés à l'appartement. J'imagine mon père, sa panique et son aveu — cette peur. La contenir sans cesse devait le déchirer.

Et puis les jours nous ont conduits au 12 décembre. À la nuit du 12 au 13. Ce jour, cette heure, cette minute qui approchaient. Cette mort.

VII

Lorsque je repense au mercredi 12 décembre, je parcours en tous sens une journée terriblement banale. Mon cours de piano de onze heures rue Cavallotti, la préparation du contrôle de mathématiques du lendemain sur les « égalités remarquables », des pâtes un peu trop cuites. Ce qui n'était qu'une journée ordinaire est devenu une inguérissable blessure. Comme cette date, ce 13 décembre, devenu « le 13 décembre ». Ces lieux allaient devenir le sanctuaire d'une vie passée ; ces moments étaient les derniers où je pouvais encore parler à mon père, l'appeler au tribunal, lui demander une montre pour Noël et fouiller dans ses affaires pour savoir s'il l'avait achetée.

Depuis, dans mes souvenirs, je passe et repasse le pont Caulaincourt, avec les gardes du corps, en revenant de ma leçon de musique... « Et dire que je ne savais pas que c'était la dernière fois. » Combien de fois cette phrase a-t-elle résonné en moi ? Comment et pourquoi aurais-je dû savoir ?

Si j'avais eu le pressentiment de son geste, aurais-je pu l'en empêcher ? La culpabilité de ne pas l'avoir sauvé de lui-même. La fin de mon enfance. Et l'acier du pont Caulaincourt.

J'étais préoccupée par la soirée à venir — le vernissage d'une exposition préparée par ma mère dans ses nouvelles fonctions de conservateur. J'avais passé de longues minutes à me faire des nattes et les avais retenues d'un tissu assorti à la couleur de mon col. Mes grands-parents et moi étions arrivés en avance à la bibliothèque, heureux d'être dans les coulisses, benêts proposant une aide de dernière minute, pour une vitrine d'exposition à fermer ou une légende à replacer. Ma mère était happée de tous côtés. Je me suis repliée dans son bureau, avec la fleur que ses parents lui avaient apportée, et j'ai attendu. En un souffle, et en répondant à deux autres personnes, elle m'a demandé d'appeler mon père, pour lui dire combien elle était débordée ; ils se parlaient toujours plusieurs fois dans l'après-midi et ce jour-là, elle n'avait pas trouvé une minute de solitude pour lui glisser quelques mots.

Le cadran était kaki, et les touches, blanches. J'ai composé et recomposé le numéro du palais de justice, celui qui était inscrit sur mon carnet de correspondance jaune, celui de son bureau qui donnait sur la Sainte-Chapelle. Je n'obtenais qu'une tonalité un peu étrange, que j'ai rapidement identifiée comme le signal « occupé ». Je jouais à l'initiée et ne savais pas qu'il fallait faire le 9 pour accéder aux lignes externes. Au même moment, ou à peu près, mon père attendait cet appel. Qui n'aurait peut-être rien changé. Peut-être.

Au cours du cocktail, ce soir-là, j'ai fait des sourires sur les photos, j'ai parlé avec des collègues de ma mère et suis restée près de mes grands-parents, attendant que ma mère se libère des conversations où elle était entraînée. Mon père était, lui aussi, accaparé, et je les observais, satisfaite.

Il est resté un long moment avec un homme que je ne connaissais pas. Il a pâli et retenu des gestes brusques. Ses lèvres étaient serrées. J'ai tenté de m'approcher de lui, mais un signe de sa main m'a ordonné de rester à distance. Je n'ai jamais revu cet homme et me suis parfois demandé qui il était. A-t-il eu un rôle dans les heures qui ont suivi ? Il n'y a de lui aucune autre trace, si ce n'est le souvenir de son profil que je reconnaîtrais entre mille, mais je ne l'ai jamais revu.

Il était près de neuf heures et mes cours commençaient le lendemain à huit heures et quart. Nous avons enfilé nos manteaux, mes grands-parents, mon frère et moi, avons embrassé ma mère. Puis je me suis dirigée vers mon père, seul à présent, et pâle.

— Vous vous occupez bien de mes enfants, a-t-il demandé à mes grands-parents alors que nous nous éloignions.

Vous vous occupez bien..., vous vous... Ces mots n'en finiront jamais de résonner dans ma tête. Et mes pas, qui m'éloignent de lui. Il flotte dans l'encadrement d'une porte qui se referme.

J'ai enfilé mon pyjama, mangé des Carambars, ne me suis pas lavé les dents. J'ai fermé mes livres de mathématiques, rangé mon sac à dos du lendemain. J'ai continué un roman russe, feuilleté *Télérama*, lu un article sur la France de Vichy et jeté le journal par terre. La couverture était un dessin gris bleuté, un rassemblement de personnages, dont certains tenaient des drapeaux tricolores. Le film *Uranus*, adapté du roman de Marcel Aymé, était sorti le jour même et l'hebdomadaire titrait en caractères blancs : « Uranus. Les Français sont-ils tous lâches ? » Cette couverture s'est glissée parmi mes souvenirs de la nuit ; il y a peu, quelqu'un m'a parlé de cette adaptation. J'aurais pu lui indiquer la date précise de sa sortie, lui parler du *Télérama* perdu sur ma moquette, et je me suis tue. *Uranus*, 12 décembre 1990.

Mes parents sont rentrés vers minuit. J'ai fait semblant d'être endormie sur mon livre. Depuis mes cauchemars, je laissais la lumière allumée jusqu'au matin.

Quelques minutes plus tard, j'ai entendu le pas de mon père vers le salon, puis je l'ai entraperçu dans le couloir, passer en direction de sa chambre. Avec sa pochette marron.

Je me suis levée, me suis dirigée vers le couloir où il n'était plus.

Puis ce bruit.

VIII

Ce bruit, comme un bouchon de champagne, comme un objet lourd qui tombe sans se briser, ce bruit sourd, sec et si bref.

Mon frère a bondi dans la chambre que notre père venait de gagner. Puis il a saisi le téléphone dans le couloir, composé le 18 et prononcé quelques mots. Les mains glacées et la respiration suspendue, je vois mon frère debout, dans une lumière jaunâtre.

— Gilles Boulouque vient de se tirer une balle dans la tête. 119, rue Caulaincourt.

Attendre. Téléphoner pour être moins seuls dans l'effroi. Et rester dans ce couloir, ces quelques mètres carrés entre la salle de bains et la porte presque close de la chambre des parents — du père.

Les larmes, les numéros de téléphone — « C'est pas vrai ! » —, quelques mots jetés à nos proches pour qu'ils nous rejoignent au plus vite. Les sonneries dans le vide avant qu'ils ne se réveillent et décrochent.

Mon frère est descendu. Aux pompiers, il avait oublié de donner le code de l'immeuble et il les a attendus dehors, pour leur ouvrir la porte. Ma mère a appelé un collègue de mon père.

— Venez vite, Gilles a fait une bêtise.

Je ne sais pas pourquoi cette phrase reste en moi plus que d'autres. Ma mère était devenue une enfant, parlait de bêtise pour ce geste, et a imploré les pompiers lorsqu'ils sont arrivés, comme si elle leur demandait une faveur.

— Sauvez-le, je vous en prie, faites n'importe quoi mais sauvez-le. S'il vous plaît.

Nous avons été regroupés dans la chambre de mon frère, en face de la salle de bains, à quelques mètres de la pièce interdite. Un masque à oxygène s'est approché de mon visage et je l'ai repoussé. Ce n'était pas moi dont je voulais que l'on s'occupe.

Mes pensées étaient idiotes. Je savais que j'allais être absente le lendemain, que le grand blond de troisième 7 apprendrait sans doute ce qui m'était arrivé, que mon père serait peut-être handicapé à vie. J'avais peur aussi qu'on lui refuse des obsèques.

Ma grand-mère paternelle est arrivée, qui habitait à quelques centaines de mètres rue Caulaincourt, puis mes grands-parents. Mon grand-père avait brûlé tous les feux, poussé à fond le compteur de la voiture. Et d'autres amis, des proches, des collègues de mon père que je n'avais jamais rencontrés et qui faisaient ma connaissance dans un pyjama en velours d'éponge rose, élimé et trempé.

J'étais assise sur le canapé et passais sans cesse ma main sur ses stries en velours, en en dénombrant les petites lignes. Je regardais le radio-réveil et soustrayais, additionnais, multipliais les chiffres entre eux. Ils défilaient. Nous attendions depuis près d'une heure.

Enfin cet homme est entré, ce médecin entraperçu parmi les pompiers. Il n'a rien dit.

Ma mère a fait bouger sa mâchoire, l'a supplié des yeux. Il a secoué la tête lentement, de droite à gauche, en fermant les yeux.

Quelques minutes avant, un léger courant d'air m'avait fait frissonner.

J'ai hurlé. Je me suis levée d'un bond sur le canapé. Pris le jeu de tarot posé sur une étagère, en ai fait sortir toutes les cartes, les ai jetées de toutes mes forces sur le mur d'en face.

Il y a eu des épaules, des corps serrés, des mains froides qui se sont cherchées, des yeux qui se sont devinés et croisés, dans un malheur halluciné.

Le médecin des pompiers a demandé à rester seul avec moi. J'ai cru qu'il allait me garrotter et me piquer pour faire cesser mes tremblements convulsifs. Il s'est assis auprès de moi et m'a parlé avec douceur. Maintenant, j'étais seule avec ma mère et mon frère. Ils souffraient autant que moi et c'était à eux qu'il me fallait penser. Je leur devais le meilleur, à eux et à mon père, mais à eux, surtout, et dès maintenant.

Où que soit cet homme à présent, je lui dois beaucoup. Ils sont nombreux, ceux à qui ma reconnaissance s'est exprimée dans le silence, et qui n'en ont rien su.

Dans le flot de courrier que nous avons reçu, certaines lettres étaient celles d'inconnus. Je me souviens de celle d'un couple du Sud-Ouest, qui proposait de nous accueillir. Ils avaient écrit à un quotidien national, qui avait transmis. Ils avaient de petits moyens mais nous proposaient leur gîte et leur couvert. Ma mère n'a pas répondu ; elle ne parvenait pas à écrire. J'ai souhaité le faire à sa place, plus tard, mais n'ai pas eu le courage de rechercher l'adresse, de replonger parmi tous ces témoignages à vif, je m'y serais sans doute abîmée. Ne restent que la honte et le remords de ne pas avoir su remercier. Je n'ai pas oublié. Pardon pour toutes ces années et merci. Merci.

La nuit était sans fin. J'ai regagné ma chambre, le salon, au bout du couloir. Je me souviens de cet ami qui s'est employé longuement à me faire rire. Il y est parvenu, sans savoir combien je regrettais ce fou rire nerveux : mes premières pensées, après le choc, avaient été pour me demander si je pourrais rire de nouveau et je me sentais coupable de me donner aussi vite la réponse.

Nous avions fait le sapin terriblement en avance, cette année-là. C'était lui qui me faisait le plus mal. Avec, dans la pénombre du salon, ses décorations d'imbéciles heureux.

L'appartement s'est rempli au fil de la nuit et au petit matin. Certains, que nous n'avions pas prévenus, ont été réveillés par la nouvelle : sur les ondes, depuis l'aurore, était annoncée la mort de mon père. Des journalistes étaient massés devant l'entrée de l'immeuble ; un cordon de police filtrait nos amis et leur permettait d'accéder à notre appartement. On frappait doucement à la porte et un policier déclinait leurs identités d'une voix interrogative.

— M. et Mme Souchère ?

— Faites entrer.

J'ai trouvé ma voix autoritaire et ai voulu m'en excuser, mais je n'ai pu que m'écrouler dans les bras de ces amis de mon père, des camarades de faculté.

Vers huit heures, sur la table de la salle à manger, a échoué un sac ventru de viennoiseries, auxquelles personne n'a touché. Mon frère est sorti, et c'est à cet instant qu'a été pris un cliché de lui qui a fait la première page d'un quotidien. Il lève le majeur en direction des photographes postés devant la maison.

Toute la matinée, du bout du couloir, probablement de la chambre de mon frère, est monté un cliquetis régulier. Ma mère y était retenue, interrogée par des policiers qui tapaient sa déposition à la machine. Elle en est revenue, hoquetant. Elle regardait ses mains, qu'ils avaient couvertes de paraffine pour vérifier qu'il n'y ait pas de traces de poudre. « Comme si c'était moi qui avais pu... » — elle répétait cette phrase sans articuler et peinait à tenir debout. Je lui ai préparé mon lit, un médecin lui a fait une piqûre. Elle m'a regardée sans me reconnaître et a fermé les yeux.

Les journaux du soir ont fait état de motifs privés pour expliquer le geste de mon père. Depuis cette nuit de décembre, lorsque sa douleur reflue, ma mère répète cette souffrance : avoir été dite responsable. Elle a refusé les déclarations vengeresses, a semé les journalistes qui ont cherché à entrer en contact avec elle. Elle a choisi le retrait, pour nous qui n'avions plus de père et ne connaissions plus le calme.

Jamais ma mère n'a été à l'origine de la disparition de mon père. Sans doute aurait-il lâché prise bien avant, si elle n'avait pas été à ses côtés. Sans doute aurais-je sombré aussi, ensuite. Il n'y a qu'au matin du 13 décembre, où elle n'a pas été présente — évaporée par intraveineuse.

Vers deux heures de l'après-midi, j'ai préparé mon sac. Je devais partir chez une amie de la famille qui me recueillait pour quelques jours ; personne d'autre ne pouvait s'occuper de moi. Elle était la femme de l'ami d'enfance de papa disparu en 1985, et j'allais retrouver son appartement tranquille, ses filles — mes amies qui avaient l'habitude de ne plus avoir de père. J'ai pris des cahiers et un livre sur la Révolution russe.

Dehors, les photographes avaient quitté les lieux, et il n'y avait plus que la rue vide et un soleil blanc. J'ai suivi Dominique, ai attendu sur un quai immense et pris le RER, à l'heure où ma classe devait copier l'énoncé du contrôle de mathématiques. J'ai appris le soir qu'ils ne l'avaient pas fait ; ils m'avaient tous écrit un mot, à la place.

Les filles et moi sommes allées chercher un goûter peu après mon arrivée ; j'ai choisi ce qu'on appelait une tête-de-nègre. Je n'avais pas dormi depuis près de trente heures, voyais flou et migraineux, sentais les petits bouts de chocolat, la meringue rugueuse sur ma langue, écoutais Marine me parler. Puis j'ai rassemblé mes forces pour lui demander si elle savait de qui nous tiendrions le bras lors de notre mariage ; pour lui parler de nos enfants, qui ne connaîtraient jamais leur grand-père.

Nous avons dîné tôt. Un tout petit médicament à avaler avec ma soupe. Je me suis couchée. Le lit était en bois et la chambre, obscure ; puis c'était à nouveau le matin, les rideaux tirés et une journée que je n'aurais jamais dû vivre. J'ai accompagné mon amie en classe, ce vendredi, y ai été présentée comme sa cousine. La seule consigne était de sembler suivre les cours. Le professeur de français s'appelait Mme Carnet ; j'ai écrit une lettre à mon père pendant qu'elle commentait un poème de José Maria de Heredia, une lettre pour l'accompagner en terre, avec un petit dessin qui le représentait en tenue de footing, la chienne Prisca à ses côtés. Je terminais cette feuille arrachée à un cahier de brouillon par : « Je ne t'en veux pas (trop). » Marine a jeté un regard attristé sur mon bout de papier et m'a dit que je n'aurais pas dû.

En rentrant, j'ai appris que mon grand-père et ma mère viendraient me chercher le soir même. Ma mère s'était réveillée de son sommeil artificiel ; la voiture débordait de sacs emportés vers notre nouvelle maison, celle où j'avais attendu les vacances et passé l'été de l'affaire Gordji. Il n'y avait que mes grands-parents chez qui nous pouvions vivre. Mon frère avait voulu rester à l'appartement.

J'ai retrouvé ma mère. Son manteau contre ma joue.

Un parking de supermarché, sur le chemin — dans la nuit se détachaient les lettres rouges de son enseigne lumineuse. Mon grand-père parti faire une course pour le dîner et nous, attendant dans la voiture. Puis la maison, surchauffée. Ma grand-mère avait préparé une soupe au-dessus de laquelle je n'ai cessé de sangloter, que je refusais d'avaler — j'avais peur de mettre la cuillère dans ma bouche, peur du contact de ce métal froid dans mon palais, peur que tout cela n'explose dans ma gorge. Dans une conversation de la nuit, j'avais entendu où et comment, précisément, mon père avait tiré. De toute façon, j'aurais eu besoin de le savoir, je crois, pour ne pas m'égarer dans des scénarios malsains. Je n'ai jamais voulu demander de détails ; je ne veux pas que mon père soit cette chose déchiquetée que j'ai devinée. Je sais seulement que, si je veux me représenter l'insupportable, je le peux.

IX

C'est en me réveillant le lendemain dans ma petite chambre que j'ai su qu'il ne reviendrait pas. Il n'y avait plus à espérer. Et, étrangement, cette pensée m'a soulagée. Il était près de onze heures ; du salon, parvenaient de nombreuses voix. J'étais chez mes grands-parents à l'heure où, au collège, à Paris, il y avait cours d'histoire, comme les autres samedis, comme le samedi précédent — j'avais traversé la cour du collège, étais montée dans la voiture pour rentrer rue Caulaincourt, mon père m'avait fait un steak haché aux petits pois.

Nos gardes du corps étaient là. M. Marteau, debout près du buffet ; c'est vers lui que j'ai fondu. Ensuite, je ne sais plus rien de ce samedi, ni du dimanche. Certains jours n'existent pas en eux-mêmes, ils sont seulement là pour être avant ou après, pour border des instants terribles. Les obsèques avaient été fixées au lundi.

Dans l'après-midi du dimanche, nous nous sommes dirigés vers Montmartre, avons dîné et passé la nuit chez des amis, nos anciens voisins de la rue Lamarck. Ils nous ont laissé leur chambre blanche, sous les toits. Je pensais que je n'arriverais jamais à dormir et j'ai été assommée. Ma dernière pensée a été sèche et brève : « Demain, je vais à l'enterrement de mon père. » Un sommeil sans rêve.

Je me suis habillée de mon ensemble noir à petits pois et à col blanc rehaussé d'un ruban rouge, j'ai enfilé mes chaussettes assorties mais trouées au talon, mon duffle-coat noir à capuche verte et j'ai regardé dans la glace le spectacle de ces couleurs vives. Je n'étais pas préparée à aller à mon premier enterrement.

Ma mère est partie avant moi, accompagnée de mes grands-parents, elle est allée dire au revoir à son mari. Mon frère est venu me chercher. Nous avons monté la rue Lamarck et regagné la rue Caulaincourt, l'appartement, où nous attendaient quelques amis. J'ai jeté un coup d'œil à ma chambre déjà un peu éventrée par ce que ma mère y avait soustrait pour me l'apporter chez mes grands-parents. J'ai regardé mes deux livres de la Pléiade, le début de la *Comédie humaine*, dont j'étais si fière et que j'avais reçus pour mon anniversaire ; je les ai désignés d'un geste vague — un bout de passé ; c'était à jamais le dernier cadeau de mes parents.

— Il y en aura d'autres, m'a-t-on dit.

J'ai acquiescé sans trop y croire. Il est parfois difficile de parler de futur.

Nous sommes montés vers le sommet de la butte Montmartre. Je respirais mal. Je passais dans un décor désolé, comme un plateau de tournage qui aurait été abandonné soudainement. Même la boutique de notre marchande de journaux était fermée. Il n'y avait que le silence, dans ces escaliers de la rue du Mont-Cenis près de mon école primaire, et ma main sur cette rampe qui m'avait souvent brûlé les fesses. Des bras s'accrochaient aux miens ou, peut-être, me soutenaient. Puis nous avons débouché place du Tertre et j'ai vu la voiture sombre, aux portes ouvertes, et des hommes qui attendaient.

Et les cameramen, accrochés aux grilles, pour filmer de plus haut.

J'ai hurlé.

Ils se sont retournés, caméra au poing. Ils ont fait leur travail. Mon frère m'a prise dans ses bras et je me suis courbée, pour me cacher. Il y avait des pavés inégaux, la voix de mon frère, qui a lancé : « Charognards ! »

Il y avait du monde, des fleurs et nos roses blanches. Des hommes en costume sont arrivés ; ils le portaient à plusieurs. Ce bois d'une sale couleur claire et ces poignées dorées. C'était la dernière fois que nous étions à côté de lui — une proximité inutile. Nous étions en grappe et il était seul, au milieu. Mon frère, debout, tout le temps. Et des mots que je n'écoutais pas. Des Kleenex verts au menthol.

La cérémonie a pris fin ; il nous a fallu passer devant lui. Je me souviens ne pas avoir su quoi faire. Je l'ai dépassé et maman m'a demandé si je ne lui disais pas au revoir. Mon frère a posé *L'Équipe* et un paquet de Gitanes brunes sans filtre. Je suis revenue sur mes pas et ai embrassé maladroitement ce morceau de bois, en me demandant si cela se faisait.

Beaucoup de mains, de mots et de visages. Nous avons attendu que les journalistes aient quitté les lieux pour sortir. Un copain d'enfance de mon père a cassé un de leurs appareils photo. Nous voulions juste être tranquilles. Et seuls pour l'accompagner dans son repos.

Je suis restée avec une collègue de ma mère et sa fille. J'ai voulu aller chercher un cadeau au Printemps pour ma mère et lui ai acheté une cassette d'Alain Souchon. *Ultra-moderne soli-*

tude. La douleur, sans doute, m'avait rendue imbécile.

Nous nous sommes retrouvés chez nos amis de la rue Lamarck. En face, le magasin de jouets de mon enfance était encore ouvert et ma mère m'a demandé ce qui me ferait plaisir. J'ai choisi une console Game Boy, pour le jeu Tetris, et pour toutes les heures que mon père avait passées devant mes jeux électroniques.

Je suis retournée à l'école le jeudi. Une semaine après, et deux jours avant les vacances. Il me semblait devoir retrouver au plus vite ce lieu que j'avais jusque-là mis tant d'énergie à fuir. Cours de latin, au troisième étage. Je suis arrivée peu avant l'enseignante et j'ai jeté mon sac d'un air dégagé. Presque tous sont venus m'embrasser, un à un, sans rien dire. Le professeur aussi — et elle m'a prise par l'épaule pour me faire entrer en classe. J'ai ouvert mon sac, mon livre et j'ai baissé le regard sur le poème dont ils avaient commencé l'étude sans moi. En cours d'anglais et d'allemand ont eu lieu des interrogations surprises. « Si c'est trop mauvais, je ne la compterai pas, Clémence », m'a dit une des enseignantes. Les moyennes du trimestre étaient arrêtées après ces notes. Quelques jours plus tard, j'ai reçu mon bulletin ; tout en bas, dans la case destinée aux appréciations du proviseur : « Il faut continuer, c'est la vie. »

Continuer, pendant les fêtes, a été une torture pour ma mère. Elle faisait des courses et des achats inconsidérés entrecoupés de visites à la préfecture de police et chez le notaire. Notre seul bien était une voiture. Elle avait été cachée sous des cartons dans le garage de mes grands-parents par ma faute : en descendant chercher une conserve rangée à proximité, j'avais entraperçu, comme prostrée dans un coin, la Volvo de nos vacances et de nos week-ends. J'avais eu une crise de larmes. En écrivant ces lignes, je me demande qui avait ramené de Paris cette voiture. Quelles pensées ont traversé l'esprit du conducteur qui s'est assis au volant et s'est vu à la place de mon père dans le rétroviseur intérieur. Des tracasseries administratives ont ralenti la vente du véhicule, qui a quitté le garage un soir de février. 513 DLA 75.

La plaque minéralogique a dû être changée et j'ai longtemps cru voir dans toutes les Volvo blanches que je croisais celle qui nous avait emmenés si souvent si loin. Je faisais le tour de ces voitures, essayais de chercher un détail qui aurait trahi sa provenance. Lorsque j'étais petite fille, je trouvais que les phares ressemblaient à des yeux — longtemps, j'ai fini mon inspection par une observation des phares ; j'étais certaine que, s'ils avaient l'air triste, c'était notre voiture que j'avais retrouvée.

Il n'y avait pas assez de place pour tous les cadeaux sous l'arbre de Noël, chez mes grands-parents, et je pensais à l'autre sapin, plongé dans l'obscurité de la rue Caulaincourt. Le 22 décembre, j'avais accompagné ma mère au Bon Marché pour une course de dernière minute et, dans le magasin a soudain retenti la chanson d'Elsa.

T'en va pas
Quand on s'aime on s'en va pas
On ne part pas en pleine nuit
Nuit tu me fais peur, Nuit tu n'en finis pas
Comme un voleur, il est parti sans moi
Tu m'emmèneras jamais aux USA

Nous sommes sorties du magasin. Ma mère a choisi seule, le lendemain, un sac Hervé Chapelier que je réclamais depuis des mois. Aujourd'hui encore, lorsque j'entends ce disque chanté par une gamine de treize ans en 1986, me reviennent les soirées d'hiver à Montmartre, les mardis soir à l'atelier de poterie et ma détresse dans les allées du Bon Marché. Un couplet de mon enfance.

Les mois de décembre à Paris me seront longtemps insupportables. Certaines années, l'air a une texture proche de celle qu'il avait en 1990 ; parfois, il est moins coupant. Cette année-là, il était à la fois léger et tranchant. Il avait cette fausse légèreté dans laquelle la tête baigne lorsque s'installe une migraine.

Les sapins sont toujours amassés sur les trottoirs et les guirlandes scandent, dans la rue, les fêtes qui approchent. Auparavant, j'attendais ces dîners trop copieux et mes cadeaux — peut-être me faudra-t-il être mère pour retrouver mon excitation, et mon enfance.

Mais pour l'heure, et chaque année, je n'attends qu'un soulagement, lorsque le 13 décembre est enfin passé ; je devrais être indifférente aux dates. Mais, même sans sapin ou sans calendrier, je crois que je ressentirais le même trouble à cette période précise, comme si les dates résonnaient des malheurs passés ; même au comble du bonheur, ces jours-là distillent une sorte de détresse.

Ma mère a été convoquée, un soir, au ministère de la Justice, et je me souviens d'avoir attendu dans la voiture d'une amie, place Vendôme, dont l'asphalte est d'un gris plus clair que celui des autres rues. Un de ces chefs de cabinet interchangeables du garde des Sceaux l'a reçue. Il l'a laissée parler. Elle lui a demandé de faire tomber l'inculpation de mon père. Il lui a répondu que la procédure d'inculpation ne survivait pas au décès des individus, au contraire des condamnations. Que seuls les condamnés pouvaient être réhabilités. Je le soupçonne d'avoir tenté de lui faire le *Code pénal* en bandes dessinées. Cet homme a tenu le discours de celui qui sait. Il doit y avoir quelque part des notes de service, des dossiers relatifs à cette affaire, et qui nous échapperont toujours. Mais eux ne saisissent rien de ce geste, de mon père. Rien du visage d'un homme broyé.

J'ai cherché à comprendre, durant quelques semaines. Cherché à savoir s'il n'y avait pas un motif qui l'aurait entraîné. J'ai interrogé ses proches, ses collègues, son ami inspecteur qui avait promis de veiller sur nous, ce faux parrain fidèle à sa parole.

— Ton père m'a appelé, le dernier jour, pour que nous déjeunions ensemble. Je n'ai pas pu, j'avais une réunion.

— Et sa voix... ?

— Il avait une voix fatiguée mais il m'a parlé de ses projets. Il voulait vous emmener au soleil, vous faire la surprise de vacances un peu exceptionnelles.

Nous devions déménager, aussi. Une visite d'appartement était prévue, le 13 dans la journée. Je ne sais même pas si quelqu'un a pensé à annuler.

— Et ma montre, il me l'avait achetée, ma montre ?

Je me raccrochais de nouveau à elle. C'était le cadeau que je lui avais réclamé pour les fêtes. Le bracelet était d'un bleu presque violet, avec une feuille d'acanthe rose sur le cadran. Une Swatch qui me rappelait Tristan et Iseut et la plante vivace, qui pousse à la fin du récit et les relie à jamais. Après la mort de mon père, j'avais transformé la montre en preuve. S'il me l'avait déjà achetée, c'est qu'il comptait passer les mois à venir avec nous, le mois à venir, en tout cas. J'ai demandé à tout le monde de se renseigner, afin de savoir si la montre était dans ses affaires, celles qui nous avaient été confisquées pour l'enquête. Personne ne m'a jamais dit si, dans les scellés, se trouvait une petite boîte enrubannée.

— Cette montre ne change rien, Clémence. Qu'il l'ait achetée ou non.

Je voulais simplement avoir une chose à laquelle m'arrimer. Tout tournait tellement, autour de moi. Tout, et surtout ce sentiment tenace d'avoir supporté tant de peurs, tant de contraintes, tant de petites égratignures et de frustrations pour en arriver là, sans savoir pourquoi. Être laissés seuls.

Petit à petit, nous avons perdu toutes les enveloppes protectrices de l'autre vie. Les gardes du corps nous ont quittés, eux aussi. Rien ne dictait de nous protéger, après la mort de mon père. Il avait emporté les menaces avec lui, et nous étions rendus à une vie ordinaire. L'équipe a été dispersée, chacun des policiers affecté à d'autres personnalités. La « mission Boulouque » appartenait au passé. Pendant trois semaines, Patricia a continué à nous accompagner dans nos trajets. Ils s'étaient singulièrement allongés ; nous étions toujours repliés dans cette banlieue un peu lointaine et embouteillée, chez les parents de ma mère. Mon réveil sonnait à six heures moins le quart, lorsque les cours commençaient à huit heures et quart. Le froid est encore plus vif lorsque l'on sort dans la rue encore sombre, au petit matin, loin de Paris et de son père.

J'avais quitté l'appartement le jour de sa mort, y étais revenue avant la cérémonie, puis à une autre reprise, dix jours après. Tout était déjà en cartons et en vides. Les rideaux étaient décrochés. C'était une après-midi d'une clarté terrible. Ma chambre était redevenue une pièce. Les affiches avaient laissé leur empreinte sur les murs. Ma mère avait tout fait pour m'épargner cette visite mais elle hésitait, dans le tri de mes affaires. Depuis que nous vivions chez les grands-parents, leur maison et ma petite chambre étaient envahies de nos objets familiers, qui semblaient étonnés d'avoir échoué là. Nous avons entreposé dans le grenier, le couloir et la cave d'innombrables cartons et des sacs parfois éventrés, en attendant de trouver un autre lieu où vivre. Et nous butions dans des bouts d'ailleurs et d'autrefois, en permanence.

Et puis il y a eu un nouvel endroit, à Paris, une nouvelle solitude. Prendre le métro sur la bonne ligne sans aller en sens inverse. Rentrer dans un appartement laid et vide. Allumer la télévision juste pour entendre des voix. Faire chauffer des plats au micro-ondes et croquer, au milieu, des morceaux mal décongelés. Entamer d'énormes pots de glace et les finir, assise sur le canapé, le regard dans le vide. Avoir ses premières serviettes périodiques « Nana » avec des cœurs blanc et jaune sur les pochettes. Des amis. Faire des blagues au téléphone le mercredi. Et attendre des retours, certains improbables.

Longtemps, j'ai pensé que mon père ne nous retrouverait plus s'il revenait. Mais la gardienne de la rue Caulaincourt connaissait notre nouvelle adresse pour faire suivre le courrier, et mes grands-parents n'avaient pas déménagé ; j'espérais qu'il penserait à cela pour nous retrouver. Je ne voulais rien jeter, pas même la radio irréparable, pour qu'il ne soit pas perdu et ne se sente pas de trop, quand il nous retrouverait. Et je savais mes précautions inutiles.

Sans lui, j'avais tout perdu. Lui. Mes gardes du corps. Les yeux rieurs de ma mère. J'avais même perdu des mots. « Parents. » « Papa. » Je ne les prononcerais plus.

La nuit, je répétais ces deux syllabes à voix basse, pa-pa, continuellement, jusqu'à m'endormir. C'était devenu le mot le plus long de la terre. Il écrasait « anticonstitutionnellement », et de loin. Le jour, je sentais les larmes monter lorsque j'entendais dans la rue un petit enfant chanceux appeler son père.

Je suis devenue une jeune fille, puis une jeune femme qui a supporté depuis d'autres douleurs, mais que meurtrira sans doute à jamais le spectacle d'une petite fille et de son père, attablés à une terrasse de café ou attendant dans une file de cinéma. Une petite fille absorbée par autre chose, par des mots fléchés ou des crayons de couleur, une petite fille qui est mon insouciance ou mon insolence d'alors, une petite fille qui regarde ailleurs et qui se souviendra peut-être un jour de ces proximités distraites et évanouies, de son enfance.

Notre cuisine de la rue Caulaincourt — la table était ronde et la radio près d'un placard. L'odeur du café et le déclic du grille-pain, les plages d'information et la météo marine. France Inter, Europe 1, et le bruit des tasses posées sur l'évier.

Le soir, la sonnette puis ses pas qui claquaient sur le parquet, et la radio. Les émissions du soir, *Le Téléphone sonne*, 47 24 70 00 — un numéro destiné aux questions des auditeurs —, les informations. Après sa mort, il n'y a plus eu que le silence. Certaines personnes écoutent encore la météo marine, ces mots incompréhensibles soufflés à mon enfance.

Il m'a fallu de longs mois pour tolérer à nouveau la radio, les journaux télévisés du soir ; les présentateurs, les génériques et les quelques notes accompagnant la prise d'antenne, brèves et sèches, ont si peu changé. Les mêmes hommes politiques et magistrats font encore l'actualité nationale. Depuis toutes ces années se font entendre les mêmes indignations, accusations, interrogations sur l'indépendance de la justice, la place des médias. Longtemps, j'ai eu les mains moites lorsque les conversations se portaient sur ces sujets. Je repense à ces carrières d'avocat, de magistrat, à l'ENA, à tout ce que j'ai failli embrasser, qui m'aurait fait être la Fille du Juge, à tout ce qui fait que je ne le suis pas, parce qu'il était plus que cela.

Il est parti, m'a laissée seule avec ma vie à construire et trop — ou trop peu — de la sienne, détruite. Ceux qui l'ont côtoyé m'ont livré des anecdotes que je tente d'assembler — la vie des morts est un collage. Je n'ai plus de père et en ai plusieurs, celui de mes souvenirs et celui des leurs, qui ne se confondent que rarement. Un avocat, que j'ai rencontré un jour par hasard, m'a fait le don de réunir certaines facettes de mon père. Il m'a parlé de sa fragilité, de sa douleur qui vibrait si fortement à la fin de sa vie, des sillons au coin de ses yeux que creusait chaque jour, des offres qui lui avaient été faites pour rejoindre le privé. Il était incapable de laisser ses dossiers à d'autres et ne supportait plus tous ces tomes rangés dans des armoires métalliques.

« Vous voyez tous ces dossiers ? Tout ça, ce sont mes gosses que je n'ai pas vus grandir. »

J'ai retenu mon souffle. Il n'avait pas voulu nous voir grandir. Ce constat m'avait si profondément meurtrie. Pour lui, nous n'avions pas compté, au moins pendant quelques secondes d'une nuit de décembre. Contre ses dossiers et son malaise, nous n'avions pas pesé suffisamment. De là sans doute m'était venu un sentiment tenace : celui de mon existence comme quelque chose de négligeable ; que l'on s'attache à moi m'a longtemps paru suspect — et forcément éphémère.

Deux jours avant qu'il ne s'échappe, j'ai refusé de lui faire une place sur le canapé pour qu'il regarde avec moi *La Couleur de l'argent*. Il était rentré tard. « Il aurait fallu être là avant », lui ai-je dit sans lever les yeux. Il s'est assis sur la moquette un peu plus loin puis s'est levé sans un mot. Tant de larmes sont tombées sur ce souvenir.

Mes résolutions de peste, parfois, se fissuraient. Je courais lui montrer mes bulletins scolaires et m'improvisais singe savant, lui récitant les sigles des organisations terroristes qui avaient revendiqué les attentats, lui parlais d'un article dc politique étrangère. Je cherchais son regard.

Je l'avais trouvé alors, et je ne le savais pas. Cela, je l'ai enfin compris dans cette pizzeria de la rue de Cluny où il allait parfois et où m'avait invitée cet avocat, où certains recoins et fauteuils ont été usés au fil des années par tant d'yeux baissés, et peut-être aussi par les siens.

« Tous ces dossiers, ce sont mes enfants que je n'ai pas vus grandir. » Il savait son absence.

Peut-être sa confession n'était-elle qu'une complainte que j'ai, depuis, entendue dans la bouche de si nombreux banquiers, consultants et hommes d'affaires très riches, mais je ne le crois pas. Lui, n'était qu'un pauvre juge.

Il savait son absence. Il a su, alors, qu'il allait nous quitter à jamais. Mais y a-t-il réellement pensé, au moment d'en finir ? Et, vraiment, y a-t-il des pensées qui arrêtent une pulsion de mort ? A-t-il imaginé que, de toute façon, nous avions déjà appris à vivre sans lui ? Qu'il nous soulagerait de cette vie où tout était dissonant ? Étions-nous menacés, l'était-il plus que jamais ? Et mon refus de lui laisser une place sur le canapé, lui est-il revenu, dans ses derniers instants avant de nous laisser ?

J'ai peur qu'il ne se soit brûlé dans un unique instant, dans une lassitude qu'il a crue sans fin. Qu'il ait pensé, en dernier lieu, qu'il ne nous était pas nécessaire. Qu'il était pesant. Qu'il n'ait pas su qu'il allait effroyablement nous manquer. Que même dans nos conflits, c'était sa présence que je cherchais. Que griffer quelqu'un, c'est encore une façon de toucher sa peau. Et que je ne m'étends plus jamais de tout mon long sur un canapé.

Sans doute a-t-il a été saisi d'un vertige, où il n'y a plus eu d'avant, ni d'après.

Je croyais être prémunie contre cette tentation d'en finir à laquelle il a cédé. Je pensais qu'avoir connu la proximité de la mort empêche pour toujours de vouloir quitter la vie trop tôt, et j'avais tort. J'ai senti cette pulsion monter en moi, un jour. Je me suis assise sur un banc, et j'ai laissé le RER passer, hébétée. Je sais maintenant qu'il n'y a rien à comprendre.

Peut-être a-t-il enfin trouvé le repos. Je ne sais pas si son déchirement de vivre valait plus que celui qu'il nous a infligé. Forcer quelqu'un à exister dans la douleur est aussi égoïste. Il est parti et je ne lui en veux pas.

Il est parti sans un mot. J'ai longtemps haï ce silence. Je lui en suis reconnaissante, aujourd'hui. Il n'a pas laissé croire que la mort se choisit pour des motifs bien précis.

Au mieux, je ne ferai jamais que frôler le sens de la vie ou de la mort. Et tout cela est bien. Seuls les horizons m'apaisent. Il faut faire du noir une couleur de lumière.

Je lui dois pour cela d'essayer d'être heureuse. Je sens comme une injonction de sa part ; j'ai grandi avec son murmure. J'ai longtemps regardé bêtement vers le ciel pour le prendre à témoin de mes joies et de mes succès — et je continue à le faire. Nous ne nous serions jamais parlé autant, tous les deux, sans doute, s'il était resté.

Je suis la fille du juge Boulouque, et cela ne rappelle plus rien à personne. Longtemps, j'ai été harcelée de questions sur ma parenté avec lui, de questions gentiment indiscrètes ou allègrement malveillantes. « Boulouque, comme le juge ? », lorsque les commerçants rendaient la carte de crédit et jetaient un œil au nom et à la signature du porteur, avant de nous tendre nos achats. Suivaient un silence pesant ou une réponse distraite : « Un homonyme. » Pendant les quelques mois qui ont suivi la mort de mon père, la question lui a survécu ; elle ne vient plus aujourd'hui que rarement dans les conversations.

Mon père a eu le destin de tous ceux qui font l'actualité mais ne marquent pas l'histoire, une existence brève puis soufflée. Il est mort parce qu'il était un juge, et vit en nous parce qu'il était plus que cela : il était Gilles, avec ses écorchures et ses excès, ses accès d'humeur et ses élans de tendresse, son regard de myope et ses lunettes aux branches écartées. Il était Papa, Gilou, Loukbou, Tournesol, Mattel, Travolta. Personne ne me demandera jamais si je suis la fille de Tournesol — personne. C'est pourtant lorsqu'il était tous ces hommes-là que j'étais sa fille, au plus profond de moi. Pas lorsqu'il rentrait le visage défait, s'asseyait devant la télévision, regardait n'importe quoi, s'énervait contre la chienne et demandait dix fois si le repas était bientôt prêt, avant d'aller téléphoner, laisser son assiette refroidir, et nous oublier.

Je ne suis qu'une orpheline avec son histoire. Des souvenirs qui ne servent à rien, des petits détails font la substance de ces années : le néon dans la cuisine crème, le blouson de cuir de mon père et son sweat-shirt bleu au liseré vert.

En écrivant, j'ai retrouvé une mémoire que j'avais condamnée. Mes textes auparavant restaient inachevés et mes souvenirs en suspens. Je me protégeais d'eux et de moi.

Alors, je barre, je raye. Je biffe ce que j'écris, ce que je crois être moi, pendant quelques minutes ou quelques pages. Peut-être est-ce finalement ma façon de m'anéantir, moi aussi, par instants. Je me détruis, sans me tuer. Je suis l'aînée de mon père, qui rature sa vie au lieu d'y renoncer.

J'ai voulu aller donner mon sang mais ils n'en ont pas voulu.

J'ai voulu aider, à l'hôpital Saint Luke.

J'ai marché quelques blocks sur Broadway.

Puis je suis retournée sur le campus. À cinq heures, une célébration œcuménique a eu lieu. L'oratoire était plein. Des microphones ont été installés à l'extérieur, dans les allées du campus, sur les pelouses.

Les brins d'herbe. La voix du rabbin.

— Et sans doute, à l'heure où nous redoutons le pire pour ceux que nous aimons, sans doute dès maintenant, devons-nous nous interroger. Sur nos vérités. Sur ce que nous croyons être nos vérités.

J'ai eu honte d'avoir si mal. Je n'avais pas été directement touchée. J'avais peur de leur voler leur douleur. J'aurais voulu leur dire mon amour.

À eux, qui restent, et apprennent l'absence.

J'étais coupable d'être indemne. Indemne, à New York.

J'ai interrogé mes vérités. Ai cherché les signes, les messages, les symboles, partout.

Être rattrapée par le terrorisme là où je voulais me construire une nouvelle vie.

Entendre, à trois heures du matin, et à des milliers de kilomètres de Paris, parler un ancien collègue de mon père. Et réprimer une éternelle pensée. Ç'aurait pu être lui, cette nuit-là, sur BBC World Service. *The World Today.*

J'avais peut-être fui mes souvenirs. Peut-être avais-je cru leur échapper, en quittant la France. Pour ne plus chercher en vain mon père dans des lieux où il ne serait plus.

Mais les souvenirs n'habitent pas uniquement les lieux.

Les lieux se détruisent.

Je n'ai pas échappé à mes souvenirs. Ces souvenirs sont comme une chance qui blesse.

Ce passé, comme un pas qui nous porte. Vers eux. Vers nous. Vers…

Le pas qui nous porte sera hors de portée.
Immortelles, les fleurs. Le ciel demeure entier.
Et ce qui adviendra n'est rien qu'une promesse.

OSSIP MANDELSTAM

DU MÊME AUTEUR

Aux Éditions Gallimard

MORT D'UN SILENCE, 2003 (Folio, n° 4089).

SUJETS LIBRES, 2004.

Au Mercure de France

LE GOÛT DE TANGER, 2004.

COLLECTION FOLIO

Dernières parutions

4042. Denis Diderot	*Lettre sur les Aveugles.*
4043. Yukio Mishima	*Martyre.*
4044. Elsa Morante	*Donna Amalia.*
4045. Ludmila Oulitskaïa	*La maison de Lialia.*
4046. Rabindranath Tagore	*La petite mariée.*
4047. Ivan Tourguéniev	*Clara Militch.*
4048. H.G. Wells	*Un rêve d'Armageddon.*
4049. Michka Assayas	*Exhibition.*
4050. Richard Bausch	*La saison des ténèbres.*
4051. Saul Bellow	*Ravelstein.*
4052. Jerome Charyn	*L'homme qui rajeunissait.*
4053. Catherine Cusset	*Confession d'une radine.*
4055. Thierry Jonquet	*La Vigie* (à paraître).
4056. Erika Krouse	*Passe me voir un de ces jours.*
4057. Philippe Le Guillou	*Les marées du Faou.*
4058. Frances Mayes	*Swan.*
4059. Joyce Carol Oates	*Nulle et Grande Gueule.*
4060. Edgar Allan Poe	*Histoires extraordinaires.*
4061. George Sand	*Lettres d'une vie.*
4062. Frédéric Beigbeder	*99 francs.*
4063. Balzac	*Les Chouans.*
4064. Bernardin de Saint Pierre	*Paul et Virginie.*
4065. Raphaël Confiant	*Nuée ardente.*
4066. Florence Delay	*Dit Nerval.*
4067. Jean Rolin	*La clôture.*
4068. Philippe Claudel	*Les petites mécaniques.*
4069. Eduardo Barrios	*L'enfant qui devint fou d'amour.*
4070. Neil Bissoondath	*Un baume pour le cœur.*
4071. Jonathan Coe	*Bienvenue au club.*
4072. Toni Davidson	*Cicatrices.*
4073. Philippe Delerm	*Le buveur de temps.*
4074. Masuji Ibuse	*Pluie noire.*
4075. Camille Laurens	*L'Amour, roman.*

4076. François Nourissier — *Prince des berlingots.*
4077. Jean d'Ormesson — *C'était bien.*
4078. Pascal Quignard — *Les Ombres errantes.*
4079. Isaac B. Singer — *De nouveau au tribunal de mon père.*
4080. Pierre Loti — *Matelot.*
4081. Edgar Allan Poe — *Histoires extraordinaires.*
4082. Lian Hearn — *Le clan des Otori, II : les Neiges de l'exil.*
4083. La Bible — *Psaumes.*
4084. La Bible — *Proverbes.*
4085. La Bible — *Évangiles.*
4086. La Bible — *Lettres de Paul.*
4087. Pierre Bergé — *Les jours s'en vont je demeure.*
4088. Benjamin Berton — *Sauvageons.*
4089. Clémence Boulouque — *Mort d'un silence.*
4090. Paule Constant — *Sucre et secret.*
4091. Nicolas Fargues — *One Man Show.*
4092. James Flint — *Habitus.*
4093. Gisèle Fournier — *Non-dits.*
4094. Iegor Gran — *O.N.G.!*
4095. J.M.G. Le Clézio — *Révolutions.*
4096. Andreï Makine — *La terre et le ciel de Jacques Dorme.*
4097. Collectif — *« Parce que c'était lui, parce que c'était moi ».*
4098. Anonyme — *Saga de Gísli Súrsson.*
4099. Truman Capote — *Monsieur Maléfique et autres nouvelles.*
4100. E. M. Cioran — *Ébauches de vertige.*
4101. Salvador Dali — *Les moustaches radar.*
4102. Chester Himes — *Le fantôme de Rufus Jones et autres nouvelles.*
4103. Pablo Neruda — *La solitude lumineuse.*
4104. Antoine de St-Exupéry — *Lettre à un otage.*
4105. Anton Tchekhov — *Une banale histoire.*
4106. Honoré de Balzac — *L'Auberge rouge.*
4107. George Sand — *Consuelo I.*
4108. George Sand — *Consuelo II.*
4109. André Malraux — *Lazare.*
4110. Cyrano de Bergerac — *L'autre monde.*

4111. Alessandro Baricco — *Sans sang.*
4112. Didier Daeninckx — *Raconteur d'histoires.*
4113. André Gide — *Le Ramier.*
4114. Richard Millet — *Le renard dans le nom.*
4115. Susan Minot — *Extase.*
4116. Nathalie Rheims — *Les fleurs du silence.*
4117. Manuel Rivas — *La langue des papillons.*
4118. Daniel Rondeau — *Istanbul.*
4119. Dominique Sigaud — *De chape et de plomb.*
4120. Philippe Sollers — *L'Étoile des amants.*
4121. Jacques Tournier — *À l'intérieur du chien.*
4122. Gabriel Sénac de Meilhan — *L'Émigré.*
4123. Honoré de Balzac — *Le Lys dans la vallée.*
4124. Lawrence Durrell — *Le Carnet noir.*
4125. Félicien Marceau — *La grande fille.*
4126. Chantal Pelletier — *La visite.*
4127. Boris Schreiber — *La douceur du sang.*
4128. Angelo Rinaldi — *Tout ce que je sais de Marie.*
4129. Pierre Assouline — *État limite.*
4130. Élisabeth Barillé — *Exaucez-nous.*
4131. Frédéric Beigbeder — *Windows on the World.*
4132. Philippe Delerm — *Un été pour mémoire.*
4133. Colette Fellous — *Avenue de France.*
4134. Christian Garcin — *Du bruit dans les arbres.*
4135. Fleur Jaeggy — *Les années bienheureuses du châtiment.*
4136. Chatcaubriand — *Itinéraire de Paris à Jerusalem.*
4137. Pascal Quignard — *Sur le jadis. Dernier royaume, II.*
4138. Pascal Quignard — *Abîmes. Dernier Royaume, III.*
4139. Michel Schneider — *Morts imaginaires.*
4140. Zeruya Shalev — *Vie amoureuse.*
4141. Frédéric Vitoux — *La vie de Céline.*
4142. Fédor Dostoïevski — *Les Pauvres Gens.*
4143. Ray Bradbury — *Meurtres en douceur.*
4144. Carlos Castaneda — *Stopper-le-monde.*
4145. Confucius — *Entretiens.*
4146. Didier Daeninckx — *Ceinture rouge.*
4147. William Faulkner — *Le Caïd.*
4148. Gandhi — *La voie de la non-violence.*
4149. Guy de Maupassant — *Le Verrou et autres contes grivois.*
4150. D. A. F. de Sade — *La Philosophie dans le boudoir.*

4151. Italo Svevo *L'assassinat de la Via Belpoggio.*
4152. Laurence Cossé *Le 31 du mois d'août.*
4153. Benoît Duteurtre *Service clientèle.*
4154. Christine Jordis *Bali, Java, en rêvant.*
4155. Milan Kundera *L'ignorance.*
4156. Jean-Marie Laclavetine *Train de vies.*
4157. Paolo Lins *La Cité de Dieu.*
4158. Ian McEwan *Expiation.*
4159. Pierre Péju *La vie courante.*
4160. Michael Turner *Le Poème pornographe.*
4161. Mario Vargas Llosa *Le Paradis — un peu plus loin.*
4162. Martin Amis *Expérience.*
4163. Pierre-Autun Grenier *Les radis bleus.*
4164. Isaac Babel *Mes premiers honoraires.*
4165. Michel Braudeau *Retour à Miranda.*
4166. Tracy Chevalier *La Dame à la Licorne.*
4167. Marie Darrieussecq *White.*
4168. Carlos Fuentes *L'instinct d'Iñez.*
4169. Joanne Harris *Voleurs de plage.*
4170. Régis Jauffret *univers, univers.*
4171. Philippe Labro *Un Américain peu tranquille.*
4172. Ludmila Oulitskaïa *Les pauvres parents.*
4173. Daniel Pennac *Le dictateur et le hamac.*
4174. Alice Steinbach *Un matin je suis partie.*
4175. Jules Verne *Vingt mille lieues sous les mers.*
4176. Jules Verne *Aventures du capitaine Hatteras.*
4177. Emily Brontë *Hurlevent.*
4178. Philippe Djian *Frictions.*
4179. Éric Fottorino *Rochelle.*
4180. Christian Giudicelli *Fragments tunisiens.*
4181. Serge Joncour *U.V.*
4182. Philippe Le Guillou *Livres des guerriers d'or.*
4183. David McNeil *Quelques pas dans les pas d'un ange.*
4184. Patrick Modiano *Accident nocturne.*
4185. Amos Oz *Seule la mer.*
4186. Jean-Noël Pancrazi *Tous est passé si vite.*
4187. Danièle Sallenave *La vie fantôme.*

4188. Danièle Sallenave	*D'amour.*
4189. Philippe Sollers	*Illuminations.*
4190. Henry James	*La Source sacrée.*
4191. Collectif	*«Mourir pour toi».*
4192. Hans Christian Andersen	*L'elfe de la rose et autres contes du jardin.*
4193. Épictète	*De la liberté* précédé de *De la profession de Cynique.*
4194. Ernest Hemingway	*Histoire naturelle des morts et autres nouvelles.*
4195. Panaït Istrati	*Mes départs.*
4196. H. P. Lovecraft	*La peur qui rôde et autres nouvelles.*
4197. Stendhal	*Féder ou Le Mari d'argent.*
4198. Junichirô Tanizaki	*Le meurtre d'O-Tsuya.*
4199. Léon Tolstoï	*Le réveillon du jeune tsar et autres contes.*
4200. Oscar Wilde	*La Ballade de la geôle de Reading.*
4201. Collectif	*Témoins de Sartre.*
4202. Balzac	*Le Chef-d'œuvre inconnu.*
4203. George Sand	*François le Champi.*
4204. Constant	*Adolphe. Le Cahier rouge. Cécile.*
4205. Flaubert	*Salammbô.*
4206. Rudyard Kipling	*Kim.*
4207. Flaubert	*L'Éducation sentimentale.*
4208. Olivier Barrot/ Bernard Rapp	*Lettres anglaises.*
4209. Pierre Charras	*Dix-neuf secondes.*
4210. Raphaël Confiant	*La panse du chacal.*
4211. Erri De Luca	*Le contraire de un.*
4212. Philippe Delerm	*La sieste assassinée.*
4213. Angela Huth	*Amour et désolation.*
4214. Alexandre Jardin	*Les Coloriés.*
4215. Pierre Magnan	*Apprenti.*
4216. Arto Paasilinna	*Petits suicides entre amis.*
4217. Alix de Saint-André	*Ma Nanie,*
4218. Patrick Lapeyre	*L'homme-soeur.*
4219. Gérard de Nerval	*Les Filles du feu.*
4220. Anonyme	*La Chanson de Roland.*

4221. Maryse Condé	*Histoire de la femme cannibale.*
4222. Didier Daeninckx	*Main courante* et *Autres lieux.*
4223. Caroline Lamarche	*Carnets d'une soumise de province.*
4224. Alice McDermott	*L'arbre à sucettes.*
4225. Richard Millet	*Ma vie parmi les ombres.*
4226. Laure Murat	*Passage de l'Odéon.*
4227. Pierre Pelot	*C'est ainsi que les hommes vivent.*
4228. Nathalie Rheims	*L'ange de la dernière heure.*
4229. Gilles Rozier	*Un amour sans résistance.*
4230. Jean-Claude Rufin	*Globalia.*
4231. Dai Sijie	*Le complexe de Di.*
4232. Yasmina Traboulsi	*Les enfants de la Place.*
4233. Martin Winckler	*La Maladie de Sachs.*
4234. Cees Nooteboom	*Le matelot sans lèvres.*
4235. Alexandre Dumas	*Le Chevalier de Maison-Rouge.*
4236. Hector Bianciotti	*La nostalgie de la maison de Dieu.*
4237. Daniel Boulanger	*Le tombeau d'Héraldine.*
4238. Pierre Clementi	*Quelques messages personnels.*
4239. Thomas Gunzig	*Le plus petit zoo du monde.*
4240. Marc Petit	*L'équation de Kolmogoroff.*
4241. Jean Rouaud	*L'invention de l'auteur.*
4242. Julian Barnes	*Quelque chose à déclarer.*
4243. Yves Bichet	*La part animale.*
4244. Christian Bobin	*Louise Amour.*
4245. Mark Z. Danielewski	*Les lettres de Pelafina.*
4246. Philippe Delerm	*Le miroir de ma mère.*
4247. Michel Déon	*La chambre de ton père.*
4248. David Foenkinos	*Le potentiel érotique de ma femme.*
4249. Eric Fottorino	*Caresse rouge.*
4250. J.M.G. Le Clézio	*L'Africain.*
4251. Gilles Leroy	*Grandir.*
4252. Jean d'Ormesson	*Une autre histoire de la littérature française I.*
4253. Jean d'Ormesson	*Une autre histoire de la littérature française II.*

4254. Jean d'Ormesson	*Et toi mon cœur pourquoi bats-tu.*
4255. Robert Burton	*Anatomie de la mélancolie.*
4256. Corneille	*Cinna.*
4257. Lewis Carroll	*Alice au pays des merveilles.*
4258. Antoine Audouard	*La peau à l'envers.*
4259. Collectif	*Mémoires de la mer.*
4260. Collectif	*Aventuriers du monde.*
4261. Catherine Cusset	*Amours transversales.*
4262. A. Corréard et H. Savigny	*Relation du naufrage de la frégate la* Méduse.
4263. Lian Hearn	*Le clan des Otori, III : La clarté de la lune.*
4264. Philippe Labro	*Tomber sept fois, se relever huit.*
4265. Amos Oz	*Une histoire d'amour et de ténèbres.*
4266. Michel Quint	*Et mon mal est délicieux.*
4267. Bernard Simonay	*Moïse le pharaon rebelle.*
4268. Denis Tillinac	*Incertains désirs.*
4269. Raoul Vaneigem	*Le chevalier, la dame, le diable et la mort.*
4270. Anne Wiazemsky	*Je m'appelle Élisabeth.*
4271. Martin Winckler	*Plumes d'Ange.*
4272. Collectif	*Anthologie de la littérature latine.*
4273. Miguel de Cervantes	*La petite Gitane.*
4274. Collectif	*«Dansons autour du chaudron».*
4275. Gilbert Keith Chesterton	*Trois enquêtes du Père Brown.*
4276. Francis Scott Fitzgerald	*Une vie parfaite* suivi de *L'accordeur.*
4277. Jean Giono	*Prélude de Pan et autres nouvelles.*
4278. Katherine Mansfield	*Mariage à la mode* précédé de *La Baie.*
4279. Pierre Michon	*Vie du père Foucault — Vie de Georges Bandy.*
4280. Flannery O'Connor	*Un heureux événement* suivi de *La Personne Déplacée.*
4281. Chantal Pelletier	*Intimités et autres nouvelles.*
4282. Léonard de Vinci	*Prophéties* précédé de *Philosophie et aphorismes.*

Composition Interligne
Impression Liberdúplex
a Barcelone, novembre 2005
Premier dépôt légal dans la collection : septembre 2004

ISBN 2-07-031689-0./Imprimé en Espagne.

141285